U0115488

文史哲學集成

龔道運著

中國宗教論集

一八〇元

文史哲出版社印行

國立中央圖書館出版品預行編目資料

中國宗教論集 / 龔道運著. -- 初版 -- 臺北市
: 文史哲, 民82
面 ; 公分. -- (文史哲學集成 ; 273)
ISBN 957-547-191-1(平裝)

1. 宗教 - 中國 - 論文,講詞

209.2　　　　82000788

(273) 文史哲學集成

中國宗教論集

著者：龔道運
出版者：文史哲出版社
登記證字號：行政院新聞局局版臺業字五三三七號
發行人：彭正雄
發行所：文史哲出版社
印刷者：文史哲出版社
台北市羅斯福路一段七十二巷四號
郵撥〇五一二八八一二彭正雄帳戶
電話：三五一一〇二八

實價新台幣三〇〇元

中華民國八十二年二月初版

ISBN 957-547-191-1

中國宗教論集目次

中國宗教論集小引

本書收集作者自六十年代迄今所撰關於中國宗教論文八篇。各篇論文寫作的時期雖相隔甚遠，但大抵環繞宗教精神以及從思想與意識形態以探討中國宗教所涉及之各種問題。關於中國宗教精神，拙文舉世界其他宗教作爲比較，以揭示中國宗教注重主觀精神之特色。至於中國宗教思想與意識形態之討論，則旨在闡明中國宗教在文化不同層面之功能。此外，研究個別思想家之宗教觀，則可窺見中國宗教思想具體而微的一面。

抑中國宗教思想以儒家爲主流。儒家之道德形上學與中國宗教思想息息相關，故特將討論宋代儒家道德形上學一文附錄於卷末，以資參考。

近代以來，中國與西方接觸頻繁，因此引發中西文化之辯。大體言之，文化可分物質、制度、心理三層面。近代所辯論之文化問題，開始止措意於物質與制度二層面，其後雖涉及心理層面，但終未深入。文化心理問題包括思惟方式、審美趣味、道德情操以及宗教觀念等。其中宗教觀念尤爲問題之核心。拙文探討中國宗教之各種問題，即欲深入研究中國文化心理之核心，俾先認識本身文化，爲中西文化交流奠立心理基礎。

拙文或曾刊於學術專刊，或曾於國際學術討論上宣讀。今裒輯爲一冊，以便就教於方家。又拙著各篇承蒙有關機構允許轉載，特此誌謝。

一九九二年十一月龔道運自識於新加坡國立大學中文系

壹、論殷代之宗教精神

一、自宗教意識之發展以推論殷人信仰之演進

中國之宗教信仰，有文獻足徵者，始於殷高宗武丁時。殷人之宗教信仰可於占卜見之。自今日所見之占卜材料，知殷人祭祀崇拜之對象，約可分爲三類：一無限神：上帝；二自然神：1.天神：東母、西母、雲、風、雨，2.地示：土、四方、河、岳；三人神：先王、先公、先妣、舊臣。據上述材料，如欲就甲骨之年代以推見殷人信仰演進之跡，則因年代久遠，判斷不易；且旁證之資料缺乏，勢難爲功。唯自人類宗教意識之發展以分析之，則其演進之跡乃可得而說。

㈠自然神之信仰

人類最低之宗教意識爲信仰自然神。此種信仰之興起，乃由於吾人對自然物所生恐怖驚奇及偉大之感，能阻抑吾人之欲望，從以助成吾人對自然神之皈依。自然神常具自然物之感覺性及各種作用，故吾人追求感覺性之外物之欲望，常易與自然神相合而對之有所祈求，以致當建立對神信仰之際，人對神之祈求即接踵以生。由於此種信仰易引起人對自然神之欲望，故於宗教意識中，自然神之信仰爲最低。①準此以言，則殷代之宗教，最初當係信仰自然神。殷代之時，農業已相當發達。②人民於農

業社會之最大願望乃求雨水充足，俾農作豐收。殷人對諸自然神之願望，多表現於祈年求雨之中，其故即在此。

㈡人神之信仰

至殷人對人神之信仰，則屬較高之宗教意識。蓋人之信仰人神，即能直接與神之精神感通，於是否定具有特殊感覺性之自然神。人對自然神之否定，一因人對之祈求而不克如願；二因人對自然物之控制力增加，遂覺自然神乃在人之控制能力下；三因人之理智逐漸發達，由是增加對自然物之本性與因果關係之認識；四因人對自然物增加藝術性之欣賞興趣，遂使自然物與人之生命情趣同化，致喪失其外在性與超越性；五因自然神本身日益增加人類文化活動之性質而趨於無限，終於喪失其原有性質，而同化於人神。③由是言之，殷人由崇拜自然神進而對人神之信仰，實爲一大擴展。唯此種對人神之信仰，猶未能根絕人之欲望，其見於殷代者，則殷人對於祖先（先公、先王、先妣、先正）仍有年雨之祈求。由於此種信仰猶未能使人脫離欲望之祈求，故其宗教意識仍甚低。

㈢無限神之信仰

殷人信仰無限神之上帝，其宗教意識又躍進一層。上帝在殷人之地位不獨超越河岳諸自然神，抑且凌駕祖宗神，故其神性乃愈爲擴大而趨於無限。於無限神之神光普照下，人愈易於自欲望中超拔。人既由信仰無限神以滌除欲望，則人對無限神自無所祈求。據此以觀，則殷人祈年求雨，多行於河岳諸自然神及諸人神，而不徑求之於上帝，自屬當然之理。人之信仰自然神及人神，固未能根絕自身之欲望，抑且視神爲欲望之存在，故常祭祀之以祈福。至若對無限神之信仰，以人自身之欲望既滌除，對神亦無所祈求，則祭祀之事，自毋須行之。今案卜辭多爲卜祭先祖及河岳諸自然神之辭，其祭帝者殊少；若依吾人以上分析，殆亦不足怪。按祭祀之意義，隨時代而不同。後代之祭天或上帝，非表示人對無限神有物質欲望之祈求；反之，乃係求超越之心靈與無限神相契接。殷人對無限神之態度，顯然尚未有此與無限神相契接之超越心靈。蓋殷人初有上帝之觀念，唯不自覺以敬畏之，猶未能自覺或超自覺以要求超越之心靈與之契接。

二、殷人之無限神之上帝與人神之祖先之區別

殷人之上帝與人神之祖先迥然不同。或據《山海經》所載帝俊兼具天神與人王之雙重身份，遂謂殷人之上帝爲高祖夔。④按其說非是。據卜辭所示，知上帝與祖先之別甚爲顯著。依上所言，殷人祈年求雨，多行於人神或自然神，而不徑求之於上帝。又上帝不享祭祀，唯人神與自然神則享之。復次，上帝之威權特大，凡令雨降旱，保佑戰爭以及授年與否，唯上帝爲能。及遇年雨不佳，則寧以爲人神作祟，而不能責怪上帝。⑤要言之，殷代之上帝實具普遍(Universal)之意義，斷然不能與人神同日而語。

隨社會之演進，神權逐漸沒落而王權日益擴張，於是人王亦得以「帝」稱。如廩辛、康丁時稱祖甲爲帝甲。⑥廩辛與康丁亦自稱爲帝。⑦帝乙與帝辛時，卜辭稱文武丁爲文武帝。⑧帝乙及帝辛自身

亦以帝名。爲區別人王之帝及無限神之帝，遂於無限神之帝冠以「上」字。⑨意謂「上帝」者，在天之帝；「某帝」或「帝某」者，則人間之帝。⑩至初期卜辭之單稱「帝」者，殆皆指無限神之帝而言。然則無限神與祖先雖同以「帝」名，唯兩者之間固不容混淆。

三、殷人之上帝與以色列人之上帝之差別

殷人之上帝具普遍之意義，視以色列人之上帝之爲民族神不同。按摩西（Moses）借遊牧閃族（Semites）人之「施博愛者」耶和華（Jehovah）與迦南（Canaan）之農業神混合，遂使耶和華成爲以色列人之家族神及民族神。此民族神唯護佑以色列民族而缺乏普遍之意義。至殷人之上帝，自始即以大公無私之精神爲宇宙至高無上之主宰，其以吉祥護佑下民，或以災禍刑罰下民，不止於一家一族，而基於普遍之平等觀念。此平等觀念，遂易爲革殷人命之周人所承繼，由是逐漸發展爲天命之觀念。⑪

或據《聖約翰福音》之普遍意義之上帝係由以色列民族神耶和華演變以成，遂推斷周人之上帝亦當由殷人之宗神轉借而來。⑫如此說，則視殷人之上帝兼爲宗神，與以色列民族神耶和華相類。按此僅就外緣而不自本質以探索問題之眞象，實爲附會影響之談。

四、殷代之特殊宗教形態為中國特殊宗教精神之本源

殷人對無限神與祖先之分未容混淆。無限神之信仰乃繼祖先之信仰而起。然此非謂殷人自信仰無限神後，即捨棄其對祖先之信仰。反之，自此以往，祖先之崇拜乃根深蒂固而為中國宗教精神之一特徵。殷人對人神之祭祀，除先王，先公，先妣等祖先外，兼及於先正（舊臣）。此種對先正之祭祀，即為後來祭聖賢之所本。又殷代宗教之演進雖由自然神而人神以至無限神之上帝，然殷人於確立對上帝之信仰後，不但維持其對人神之信仰，抑且對具最低宗教意識之自然神，亦未捨棄其崇拜。衡諸一般宗教之發展，此實為極其特殊之現象。此特殊現象所形成之特殊形態乃構成中國宗教之特殊精神。按中國後代三祭中之祭天，即由殷人崇敬上帝而來。後世之祭天包含祭地。此祭地之源始亦當追溯至殷代對諸自然神之祭祀。殷人對諸自然神有熾烈之欲望要求，其宗教意識固甚低；然發展至春秋時代，此種對自然神之崇拜逐漸由形而下之觀念提升而為形而上之觀念，於是地德乃得彰顯，遂與天並列而為三祭之一。然則殷代之特殊宗教形態已粗具後世三祭之規模。

一般宗教只崇拜一無限神或先知先覺，如基督教徒只崇奉上帝，回教徒唯崇拜阿拉（Allah）之類。此種只信一無限神或唯一先知先覺之宗教意識實非至高無上者。最高之宗教意識與宗教精神除信奉無限神之天帝外，必須兼對祖先及聖賢之崇奉。蓋祖先及聖賢之人格乃貫通歷史之之普遍者，係屬於統一之精神實體。當吾人對一人格作宗教性之崇敬達最深時，吾人即可直接體驗此人格之精神之發展歷程，並進而師法之，以形成與彼同一或相近之人格。故由崇敬人格可直接引生吾人精神自身之發展及人格之完成，此實非只崇敬無限神所能產生之價值。蓋無限神乃絕對純粹與完滿者，根本無所謂發展與形成之歷程。吾人只崇敬無限神，固可使吾人之精神達至忘我之境，但此種忘我乃拜無限神之賜，係被動者。至吾人於對人格之崇敬之宗教精神中，吾人則直覺感受所崇敬人格之激動而憤發，於是一方面係所崇敬之人格之施與，一方面則爲自我之實現，由此化除主動與被動之對待。然則吾人由崇敬人格所生之忘我之情，即可自覺爲自身之仁體自動之實現，此即只崇敬無限神所不能產生之價值。⑬復次，最高之宗教意識與宗教精神於信奉無限神及祖先與聖賢之外，更須自無限神之天帝中開出地德，以顯天道之全。按殷人對祖先及先正之祭祀猶存祈求之欲，其對無限神亦未能自覺或超自覺以要求超越之心靈與之契接，更未能提升地示百神以顯地德而成天道之全，固未足以稱爲具備最高之宗教意識與宗教精神。然殷人確立無限神之觀念及維持對地示百神之崇拜，復重視祖先與先正之祭祀；此一特殊形態逐漸孕育爲後來之三祭；三祭之逐漸形成，遂使中國宗教具備最高之宗教意識與宗教精神。吾人探本窮源，對於殷代特殊宗教形態促成後來中國宗教之特殊精神，其重要性實不容忽視。

五、殷代對天及天命之觀念之探討

㈠據天字在卜辭用作「大」義以推斷殷人對天之觀念應含宗教之意義

天字於中國古代具有宗教意義，初民視天爲「上帝之居所」及「行使上帝之權」者。按殷代卜辭雖有天字，但或用作「大」義。羅振玉《殷虛書契前編》二、三、七：

天邑商

按此所謂「天邑商」，另一卜辭作「大邑商」。羅振玉《增訂殷虛書契考釋》卷下頁四十四：

己酉王卜貞余征三丰（邦）方𢀛𢦏命邑弗敏不𠤎自彝在大邑商王𠧞曰大吉在九月遘用求五牛。

以此況彼，可見「天邑商」之「天」字，其意義當為「大」。天字在卜辭之另一義則用作地名。《增訂殷虛書契考釋》卷下頁三十六：

丁卯卜貞王田天往來亾𢦏。

此外，遍考卜辭，天字無用作「上帝之居所」或「行使上帝之權」之義者。世之治甲骨學者遂謂殷人無宗教意義之天之觀念。⑭按今日出土之卜辭，不足以代表殷代全部史料。在已出土之有限材料中，天字已不限於一義，則於未發現之卜辭或其他埋沒之殷代文獻中，安知即無用作「上帝之居所」或「行使上帝之權」之另一義之天字？

自形體言，天之與大，其始本為一字。抑就天字於卜辭用作「大」義言，則與天之另一較普遍義「上帝之居所」或「行使上帝之權」——於觀念上亦有可貫通之處。天為「上帝之居所」，足以覆蓋一切，其大可以想見。（按大字象正面人形，本義為人，借為大小之大。此字於殷代之時已用借義，卜辭有「大吉」之辭，可證。大字既為借義所專，乃另造側面人字。）至天之「行使上帝之權」，則於殷人之宗教信仰中，上帝之威權特大。然則天為「上帝之居所」或「行使上帝之權」之普遍義皆含有「大」之觀念。由是以言，則於卜辭用作大義之天字，實可兼含「上帝之居所」或「行使上帝之權」之義。倘此推論成立，則殷人對天之觀念乃含宗教之意義。

吾人謂殷人對天之觀念含有宗教意義，非純自理言之，而實有證據足以證成其說。按殷代之天與帝令之觀念發展至周初，則成天命之觀念。唯周代彝銘中有稱天命爲「大命」者。毛公鼎：

不顯文武，皇天弘猒氒德，配我有周，雁（膺）受大命。

此所謂「大命」實即「天命」。〈秦公毀〉：

不顯朕皇祖，受天命。

按二彝銘同記文武受命之事。文武受命於天而爲天子，此天命之含宗教意味，自不待言。天命即大命，則大命亦當含宗教意味。毛公鼎既造於周代，其時已有天命之觀念，而毛公鼎竟稱天命爲「大命」者，蓋殷代之時，天大二字同義而可互用，毛公鼎去殷未遠，故有是稱。依上分析，大命即天命而含宗教意味，毛公鼎之稱天命爲「大命」乃淵源於殷代，然則卜辭天字用作大義之當含宗教意義，思過半矣。退而言之，吾人縱不能謂殷代天大二字完全同一意義，然以毛公鼎之去古非遙，依其稱天命爲「大命」之言，至少亦可推論殷代宗教意義之天應含「大」之觀念。此一觀念發展至孔子，仍然維持不墜。《論語．泰伯》第八：

子曰：大哉堯之爲君也！巍巍乎！唯天爲大，唯堯則之……。

殷代宗教意義之天既含有「大」之觀念，則天字於卜辭用作大義，自不足爲怪。且據毛公鼎稱天命爲「大命」之例，則吾人之論斷卜辭用作「大」義之天，可兼含「上帝之居所」或「行使上帝之權」之宗教意義，實言之成理，而持之有故者也。

抑且天字在卜辭用作「大」義，自觀念之發展言，實視天之另一普遍義「上帝之居所」與「行使上帝之權」爲後出。蓋天之爲「大」，自觀念言，殊爲抽象，遠不及其爲「上帝之居所」與「行使上帝之權」之具體。如上所言，天之爲「上帝之居所」與「行使上帝之權」皆含「大」之觀念，則天字在卜辭用作「大」義，或即由「上帝之居所」與「行使上帝之權」之具體義引申而來。總之，卜辭之天字既有抽象觀念，則殷代之天之含「上帝之居所」與「行使上帝之權」之觀念當不容置疑。夫然，殷代之天實含有宗教意義。

㈡殷代宗教意義之天之觀念可自明顯之上帝觀念轉出

殷代有極明顯之上帝觀念，由此明顯之上帝觀念轉出宗教意義之天之觀念，實極其自然之事。前文已言及殷人對「帝」之稱謂兼及無限神與人神。稱無限神而冠以「上」者，以其高居天上之故。然則宗教意義之天之觀念即可由「上帝居於天上」之聯想以顯出。唯其如此，故當宗教意義之天之觀念形成之後，「天」即與「上帝」同義而可以互用。此於《詩》《書》中隨處可見其例證。〈商書・湯誓〉：

有夏多罪，天命殛之……夏氏有罪，予畏上帝，不敢不正。

〈大雅・文王〉：

穆穆文王，於緝熙敬止。假哉天命，有商孫子……上帝既命，侯于周服。

按「天」與「上帝」雖同義而可互用，唯稱「上帝」則較注重其主宰性，人格神之意味亦較濃厚。至

「天」之一名，原指上帝之居所，自「上帝之居所」轉而爲「行使上帝之權」，則已將上帝抽象化與概念化。然則天之觀念之出現（按此處及下文所謂天之觀念皆指含宗教意義之天而言。）實可視爲殷代宗教思想之一大進展。

㈢自詩書所載殷代明顯之天與天命觀念以推見殷代實際上應有天之觀念

如上所言，則殷人之有天之觀念，已相當明確。按今日出土之卜辭，固非殷代卜辭之全，且殷代除甲骨文外，尙有典冊。今所傳〈商書〉雖未必爲當時之作，然自其思想觀念視〈周書〉爲貧弱觀之，則其成書當在〈周書〉之前。今〈商書〉不但屢用天字，抑且含有天命之觀念。〈湯誓〉：

有夏多罪，天命殛之……爾尙輔予一人，致天之罰。

〈盤庚〉上：

先王有服，恪謹天命……今不承于古，罔知天之斷命……天其永我命于茲新邑。

〈盤庚〉中：

古我前后，罔不惟民之承。保后胥感，鮮以不浮于天時……予迓續乃命于天，予豈汝威。

〈高宗肜日〉：

惟天監下民，典厥義。降年有永有不永，非天夭民，民中絕命……天既孚命正厥德……王司敬民，罔非天胤。

〈西伯戡黎〉：

天子，天既訖我殷命……故天棄我……不虞天性……天曷不降威……我生不有命在天……乃罪多參在上，乃能責命于天。

〈微子〉：

天毒降災荒殷邦。

據上引文，知現存五篇〈商書〉中，每篇皆湧現天與天命之觀念，則其普遍性可見。

至《詩・商頌》中之天與天命之觀念，更屢見不鮮。〈烈祖〉：

自天降康，豐年穰穰。

〈玄鳥〉：

天命玄鳥，降而生商。

〈長發〉：

受小球大球，爲下國綴旒，何天之休……允也天子，降予卿士。

〈殷武〉：

天命多辟，設都于禹之績……天命降監，下民有嚴，不僭不濫，不敢怠遑，命于下國……。

按〈商書〉及〈商頌〉所見之天與天命之觀念既如此昭著，吾人實可據以推見殷代實際上應有天之觀念。吾人如忽視〈商書〉及〈商頌〉所載極明顯之天與天命觀念之事實，以爲殷代尚無天之觀念，則周初極其昭著之天與天命之觀念乃突如其來者；衡諸人類思想發展歷程，殆爲不可能之事。且由「天」之觀念發展而爲「天命」之觀念，亦非一時可幾。如據《商書》及《商頌》所載極爲明顯之「天命」觀念，猶謂殷代尚無「天」之觀念，實未見其可。

總之，殷代已有天之觀念，殆不容置疑。又殷代之農業已相當發達，其與農業關係最密切者莫過於天時與天象，故殷人由農業之關係以引生自然之天之觀念，再由之以引發宗教意義之天之觀念，亦極自然之事。

至天命之觀念，亦當醞釀於殷代。卜辭中常有「帝令」之辭，蓋即周人「天命」觀念之所從出。

六、殷代之神與人之關係

㈠殷代神人之距離視其他宗教爲小

殷代之上帝雖具無上權威，然其對下民，究竟降福多而降禍少。人民感於上帝之降福而對其產生親切感，於是縮小神人間之距離。此神人距離小之思想，使中國宗教精神自始即與一般宗教殊途。

按希臘神話多描寫神人間之衝突及神之播弄人。如荷馬（Homer or Homeros）於《奥德賽》（*Odyssey*）中，敘述奥狄秀斯（Odysseus）於托羅伊（Troy）戰後，屢欲還鄉而受阻於宙斯（Zeus）及其他諸神，遂飄流於外十年，經歷重重苦難。又希臘著名悲劇詩人索福客儷（Sophocles）於典型之希臘「境遇悲劇」（Situation tragedy）《厄狄帕斯王》（*Œdipus*, King of Thebes; Œdipus at Colonus）兩劇中，敘述阿坡羅（Apollo）神預定底比斯（Thebes）王雷雅斯（Laius）將爲其子所殺；該逆子且將娶母佐卡斯塔（Jocasta）爲妻。及該孩誕生，雙親即棄於奇塔伊蘭山（Mt. Kithairon），旋爲科林斯（Corinth）一牧羊者發現，攜之歸，命名爲厄狄帕斯。後歸國王坡里勃士（Polybus）及王后米羅波（Merope）收養。厄狄帕斯因受人辱罵，謂其非坡里勃士親生子，乃詢於特爾斐（Delphi）神廟，神諭不答所問，而告以其注定之惡運，謂渠將殺父娶母。厄狄帕斯固以坡里勃士及米羅波爲其生身父母，爲避免惡運，乃逃離科林斯，途中爲一陌生者襲擊，與之鬥，殺之。此陌生者即其生身父雷雅斯。後因驅除斯芬克士（Sphinx）之功，被舉爲底比斯王，娶前王妃佐卡斯塔爲妻，即其生母，彼固不自知。及即位，疾疫流行，神諭此乃由於弑雷雅斯者逍遙法外所致。厄狄帕斯立誓緝兇，遂於堅決之追查下，證實自身爲兇手。佐卡斯塔因而羞憤自縊，厄狄帕斯則自抉雙目，棄國流亡，藉弱女安提峨尼（Antigone）扶持，乞討爲生，後死於雅典（Athens）。是神之播弄人有如此者。

又《舊約》所載之上帝耶和華，原爲一善戰之民族英雄，極具威嚴，其意志常不可測度。耶和華曾試探亞伯拉罕（Abraham）願否殺子伊沙克（Isaac）以奉獻於已而表專誠。當亞伯拉罕接受考驗，正欲親手殺子之際，耶和華乃覺其意誠而以牧羊代罪，且因此與亞伯拉罕重訂盟約（Covenant）焉。⑮按耶和華由於驍勇善戰，故稱爲「憤怒之神祇」（God of Wrath）。⑯

此種神人衝突之思想不獨西方如此，印度亦然。印度之初期宗教，其最顯赫之神祇爲空界主神因陀羅（Indra）。因陀羅爲雷雨之象徵，亦爲勇武絕倫之戰神，常手執金剛杵，以摧敵降魔爲職責。

據上言之，可見一般宗教初起之時，其所信仰之神係以善戰威武著稱。神既以威武顯赫以臨視下民，則易形成神人間之鴻溝。此神人間之相隔，可稱爲神人懸隔教（Theocratic Religion）。反觀殷代之上帝，則爲農業生產之神，其對下民，賜福多而降禍少，故神人之間自能融洽。此神人之融洽，可稱爲神人同格教（Theo-anthropic Religion）。由於神人同格而形成之融洽，遂爲後世天人契接思想之淵源。

㈡殷代人神之賓於上帝由於神人間之距離小

由於殷代神人間之距離小，故人神可賓於上帝。董作賓《殷虛文字乙編》下輯7197：

下乙賓于〔帝〕。貞咸不亐于帝。

又7434：

……于帝。貞下乙不賓于帝。大甲賓于〔帝〕。

又7549：

貞大〔甲〕不賓于帝。賓于帝。

按賓有配之義。殷人之賓帝，後來即發展爲周人配天之思想。又後世之神話傳說，尚可見此賓帝思想之痕跡。《山海經．大荒西經》：

〔夏后〕開上三嬪於天，得九辯與九歌以下。

按希臘神話雖有神人戀愛之故事，⑰然缺乏人神賓於上帝之思想。此亦足證在希臘思想中，神人間之距離較大。

㈢自人神賓於上帝以推見殷代道德觀念之醞釀

殷代人神之賓於上帝，除神人距離小之背景外，則因人神有德之故。今卜辭雖未見德字，亦未明言人神之賓於上帝乃由德所致。唯周代人神因有德而配天，則彰明較著。周人配天之思想既由殷人之賓帝而來，則殷人之賓帝亦當隱含道德之意義。今按〈商書〉所表現之道德觀念實至為彰顯。〈湯誓〉：

夏王率遏眾力，率割夏邑……夏德若茲，今朕必往。

〈盤庚〉上：

非予自荒茲德，惟汝含德，不惕予一人……汝克黜乃心，施實德于民……丕乃敢大言，汝有積德……作福作災，予亦不敢動用非德……用罪伐厥死，用德彰厥善。

〈盤庚〉中：

故有爽德，自上其罰汝，汝罔能迪。

〈盤庚〉下：

用降我凶德，嘉績于朕邦……肆上帝將復我高祖之德，亂越我家……式敷民德，永肩一心。

〈高宗肜日〉：

民有不若德，不聽罪，天既孚命正厥德，乃曰：其如台？

〈微子〉：

我用沈酗于酒，用亂敗厥德于下。

按〈商書〉所表現之道德觀念，其明顯之程度當非殷代所有。蓋〈商書〉寫成於殷末周初，適顯豁之道德觀念盛行於斯時，作〈商書〉者遂以時代觀念加諸古人耳。然一觀念之形成，非旦夕可就。今以周初所盛行之顯豁道德觀念推之，似不可謂商代尚未有道德觀念之醞釀。至《詩・商頌》諸篇雖未見德字，然其中所含之道德意識固可得見。〈那〉：

先民有作，溫恭朝夕，執事有恪。

〈長發〉：

玄王桓撥，受小國是達，受大國是達，率履不越。

〈商書〉與〈商頌〉既皆有明顯之道德觀念及道德意識，吾人實可由此以推見殷代已有道德觀念之醞釀。道德觀念既已醞釀於殷代，殷代之時，神人之間且藉道德以為連繫，足見中國宗教自始即具道德性。

至西方之宗教則不然。如希臘初期宗教所表現神人間之連繫，僅由於性格之相近而缺乏道德之意義。如女神雅典那（Athena）之特別寵愛奧狄秀斯（Odysseus），乃由於奧狄秀斯與伊同具欺詐慧黠之手段。⑱因為注重個性，希臘初期宗教遂為後世西方藝術之主要泉源。其在中國，則因早期宗教之隱含道德性，乃發展為日後之道德與人文之宗教。

七、綜論殷代與西方古代宗教之差異由於彼此文化形成之外緣不同

㈠農業與和平爲形成中國文化精神之外緣

中西宗教所以自始即顯出巨大之差異，乃由於形成彼此文化精神之外緣不同。形成中國文化精神之外緣爲農業與和平。⑲以上論殷代宗教之特徵，已言及其與農業有密切關係。茲再就卜辭以探討殷代農業發達之情形。據卜辭所載，殷代之雨量豐富，終年降雨。由其地出產熱帶動物觀之，知其時氣候較今日爲暖。殷代曆象之學亦相當發達，不僅已知大小月及閏年，且能預測日月蝕及其他星象。凡此皆適於農業發展之條件。又由卜辭多以「春」、「秋」、「年」等字紀年推之，則其時之農業已臻於相當發達之階段。⑳按於農業社會下，人民安土重遷，對周遭之事物易引生悠久之情，進而轉出道德倫理之觀念。〈周書．酒誥〉：

> 惟曰：我民迪小子，惟土物愛，厥心臧。

孔《傳》：

> 文王化我民，教道子孫，惟土地所生之物皆愛惜之，則其心善。

按此雖記周代之事，然實爲中國傳統文化之一貫精神。故殷代宗教之隱含道德性，即由於殷人安土務農所致。

農業社會使人各安其居，互不侵犯，由此即可引發和平之精神。殷代非無戰爭，然藉農業社會所引生之和平精神，足以化除由戰爭而來之敵對意識。殷代宗教所以未出現戰爭之神，用能維持神人間之融洽者，其故即在此。

㈡商業與戰爭爲形成西方文化精神之外緣

西方文化精神形成之外緣爲商業與戰爭㉑。此與中國文化精神之所以形成者相違。希臘爲西方文化產生地之一。以土地磽确，農業不足以營生，故希臘人自始即從事商業。按商業生活居處無定，易使人產生「自我爲中心」之情。然則希臘宗教之重個性，即可於此見其端倪。

西方文化另一淵源地之希伯來，則爲常年征戰之地。希伯來人飽受戰爭慘禍，現實生活極爲波盪，常舉族轉徙流離，故心中極嚮往一超自然之偉大權力，俾保其族以免於淪亡。《舊約》之上帝耶和華，以驍勇善戰，保護猶太族著稱，即於希伯來人飽受戰禍之心靈下植其根。

又古代希臘領主（Chieftain）之部落社會，由於各部落間征戰頻仍，遂形成征服者與被征服者之敵對意識。其反映於宗教者，則爲希臘悲劇及神話所描寫之神人衝突。按西方式之戰爭所以促成征服者與被征服者之敵對意識，進以形成神人衝突之宗教心靈者，乃由於西方文化之形成缺乏農業社會爲其外緣。農業生活足以促進和平精神而化除敵對意識，故殷人能藉農業生活以致和平廣大之精神，本此精神安撫四方之民族，則雖有戰爭，亦不至形成彼此之敵對意識。

總之，西方文化之形成因緣於商業與戰爭，故使人心外馳與衝突而不得安頓，於是易與求神佑助之宗教意識相結合。至農業活動則利用厚生，使人易安於現實而孕育平和之精神，由是祈神護佑之念遂少。然則西方對宗教之情之狂熱與中國之沖淡，乃由於彼此文化形成之外緣不同所致。

【附註】

① 參考唐君毅：《文化意識與道德理性》下冊第七章人類宗教意識之本性與其諸形態（六）宗教意識之十型態。

② 參考胡厚宣：《甲骨學商史論叢》二集上冊卜辭中所見之殷代農業。

③ 同註①。

④ 見郭沫若：《先秦天道觀之進展》第一四頁。

⑤ 參考陳夢家：《商代的神話與巫術》：上帝與先祖的分野（見《燕京學報》第二十期第五二六頁至五二八頁）。並參考：《殷墟卜辭綜述》。又參考：胡厚宣：《甲骨學商史論叢初集》第二冊殷代之天神崇拜。

⑥ 郭沫若《殷契粹編》二五九：「貞其自帝甲又征」。

⑦ 胡厚宣《甲骨學商史論叢初集》第四冊廈門大學所藏甲骨文字27：「从乎汏，帝子卬史，王其每。」

⑧ 見日本林泰輔：《龜甲獸骨文字》二卷二、二五、三

⑨ 董作賓《殷虛文字甲編》一一六四：「貞：叀五鼓口，上帝若，王口又又？」

⑩ 參考胡厚宣《甲骨學商史論叢初集》第二冊，殷代之天神崇拜。

⑪ 參考陳夢家《商代的神話與巫術》：上帝與先祖的分野。

⑫ 見傅斯年：《性命古訓辨證》下中卷第一章周初人之帝天。

⑬ 參考唐君毅：《文化意識與道德理性》下冊第七章人類宗教意識之本性與其諸形態。並參考：《孔子與人格世界》第二篇論對孔子與人格世界之崇敬的涵義。

⑭ 參考陳夢家：《殷墟卜辭綜述》及胡厚宣：《甲骨學商史論叢初集》第二冊殷代之天神崇拜。

⑮ 見《舊約・創世記》Genesis Xxii 1-20

⑯ 見《新約・達羅馬人書》Epistle To The Romans I 18

⑰ 見荷馬：《奧德賽》*The Odyssey Of Homer*

⑱ 同註⑰。

⑲ 參考唐君毅：《中國文化之精神價值》第一章中西文化精神形成之外緣（三）農業與和平對中國文化精神之形成之關係。

⑳ 同註②。

㉑ 參考唐君毅：《中國文化之精神價值》第一章中西文化精神形成之外緣（二）不同文化民族之接觸——戰爭與商業對西方文化精神形成之關係。

《新社學報》創刊號一九六七年十二月

貳、論周初之宗教精神

一、周初天命觀念之確立

姬周承殷商之餘緒，其初期宗教演進之跡，蓋可上溯殷代以求之。殷商之時，已有宗教義之天之觀念①。及姬周代興，遂承襲殷人對天之觀念而體會愈深。此於周代早期之史料有確實之記載。如武王時之〈大豐毀〉：

祀于天室，降。天亡（無）又王。衣（殷）祀于王。丕顯考文王。事喜上帝。文王監在上。

又康王時之〈大盂鼎〉：

故天翼臨女，法保先王，□有四方。

按周人之所以益加確立天為至上神之觀念，使客觀宇宙成為一大心靈所瀰漫之整一體者，實與政治之演變息息相關。周革殷命，後來居上，其王朝之規模自視前代為大。此新王朝一旦建立，其建立者之心靈活動未自私於人間，遂要求一至上神之天以神靈主宰宇宙，使之與人間之王朝相映照。由此宗教心靈之促動，凡後世所視為人為者，皆歸之為天所命敕。故人間王朝之統治者稱為天之子，乃受天之命以統治人間者。此天命之思想於周代史料中屢見不鮮。〈大克鼎〉：

不顯天子，天子其萬年無疆，保辥周邦，畯尹四方。

〈大盂鼎〉：

不顯玟王，受天有大命。在珷王嗣玟作邦。闢氒（厥）匿，匍（撫）有四方，畯正氒民……雩我其遹相先王，受民受疆土。

〈周書・大誥〉：

敷前人受命，茲不忘大功。予不敢閉于天降威。用寧王遺我大寶龜，紹天明即命……天休于寧王，興我小邦周，寧王惟卜用，克綏受茲命。

《詩・周頌・清廟之什・昊天有成命》：

昊天有成命，二后受之。

據上引文，可知周代之初，時人對天命之觀念即已非常確定。按周人之天命觀念乃由殷人之「帝令」思想演變而來。唯殷人視帝（天）爲具有至高權威之無限神。舉凡人世生活之所需皆仰賴之，故殷人之帝（天）爲生活上或生產上之主宰②，其所具之宗教意味甚濃。至於周人，則視天子受命於天，以天（帝）與天子爲統治邦國之兩重元首，故周人之天爲政治上之主宰，其宗教意味已漸爲人爲之政治所沖淡。抑由於中國宗教甚早即直接與人爲之政治相結合，由此所形成之宗教情緒自視西方宗教之獨自發展者爲淡薄。

二、周人之憂患意識

㈠誘發周人憂患意識之內在因素

周人自以爲受命於天而革除殷人之命。其歸命於天，蓋表示周人不私有其心靈活動於人世之宗教情緒。然周人之具此宗教情緒亦非表示徒恃天命，而實有其精神之自覺。此精神之自覺乃表現於周人之憂患意識中③。憂患意識既爲精神之自覺。則不同於杞人之憂天，亦與世俗患得患失之情有別。人之所以憂患，蓋體會人事之吉凶得失，非純主宰於外在之神，而人之意志活動亦足以左右之。人由意志能力以解除阻礙，必須自強不息，戰戰兢兢，由是憂患意識油然而生。故誘發憂患意識之內在原因厥爲吾人體認人事之重要。〈周公𣪘〉：

克奔走上下帝無冬（終）命于有周追孝。

此視邦國由上帝（天帝）與下帝（人王）共同掌治之。

《大克鼎》：

肆克□于皇天，頊于上下。

按「頊于上下」云者，謂有信於上（天）下（土）。凡此對人事之注重，乃表示人之精神自覺，進以形成主觀性原理（Principle of Subjectivity）。因主觀性原理之精神自覺，遂引發憂患意識。按殷人視天帝具備主宰一切之權力，人事之力量甚微，故以占卜爲人之日常生活準則，由是構成一客觀性原理（Principle of objectivity）。此客觀性原理如無主觀性原理之鼓動，則本身只爲潛有或自存，而不能實現或形著。以黑格爾之術語名之，此客觀性原理可稱爲「物之在其自己」（Thing in itself）。至主觀性原理之所以能使客觀性原理實現，以其有自覺活動故。此自覺活動具有「充足理由」，能使客觀性原理實現。黑格爾稱此主觀性原理爲「物之對其自己」（Thing for itself）。殷人因尚未有精神之自覺，故不能如周人以建立主觀性原理，終亦缺少憂患意識之表露。

(二)誘發周人憂患意識之外在因素

周人憂患意識之生起，捨內在原因外，復有外在之因素。此外在之因素厥爲周人開國之維艱。相傳周人始祖后稷始封於邰，後公劉失職，遷於豳，居沮漆之地，傳至太王（古公亶父），狄人侵之，乃踰梁山而邑於岐山之下。再傳而至文王，遂奠開國之基。按姬周自太王以上之世系未必可信，唯太王以降，則大致可稽。太王卜居岐下，篳路藍縷④。及文王踵武，仍慘澹經營不懈。抑岐山近於邊鄙，常受西戎諸國侵犯。文王先後征討串夷（混夷）、密須、阮、徂、共、崇諸國。⑤西鄙雖略定，然其時適值紂王暴虐，文王弔民伐罪，復與商紂相周旋。察文王之卒能發揚王業者，端賴其能承繼先祖之憂患意識，故〈周書・君奭〉稱誦文王之德，謂其「丕承無疆之恤」。恤即憂之義。又〈周書・無逸〉敘文王不敢自安之憂患意識殊爲深刻：

> 文王卑服，即康功田功……自朝至于日中昃，不遑暇食，用咸和萬民。文王不敢盤于遊田，以庶邦惟正之供。

按文王因內憂外患而愈秉操其祖先之憂患意識，及國事初定，仍不敢懈怠而常以生民爲念。此朝乾夕惕之憂患意識實爲道德意識之初基。

(三)憂患意識所含蘊之道德意識

周人之憂患意識與佛教之大悲心及基督教之博愛同爲一種宇宙悲情（Cosmic feeling）。唯基督教根源於怖慄（Tremble）或恐怖（Dread）意識。佛教則肇始於苦業意識。此二者顯與憂患意識不同。按恐怖固異於憂患，亦與懼怕（Fear）有別。懼怕必有對象，恐怖則否⑥。吾人面對宇宙之蒼茫，易生虛無（Nothingness）之感。處此虛無之中，本已感茫無歸宿，復睹天災之殘酷，於是恐怖或怖慄意識油然以生。又基督教視人皆有原罪（Original sin），人於上帝之前渺乎其小；抑天災之爲害，亦視爲上帝對人間罪惡之懲罰。由是具原罪之人唯於虛無之深淵與天災之懲罰中向上帝作恐怖之求恕。人之求恕於上帝，即表示對上帝之皈依。故基督教源於恐怖意識。至於佛教，則視人生爲無常，恆於業識中流轉。蓋人由無常而生苦痛，復由愛欲而生煩惱，遂於苦痛之中萌出世之想。⑦按佛教之苦業意識固與基督教之恐怖意識有殊，然二者之由人生之負面進入則一。

若周人之憂患意識，則源於自覺之精神。當政者見天災人禍之殘酷，生民之不得其所，戚然憂之，遂感拯生民於水火，誠責無旁貸。然則周人之憂患意識乃直接自人生之正面入，以對人生之不幸當下作一承擔者。

周人之憂患意識亦與古希臘人之閒暇之情相對顯，而形成兩種不同之文化精神。按古希臘爲一殖民地，其人民不須擔負實際社會政治之責任，故居多暇日，由是其對學問之探求乃多以現實人生以外之宇宙爲對象，卒成就自然科學與自然哲學。此源於閒暇之學，其對現實人生不免缺乏迫切之感。至周初之哲人，則多屬聖君賢相，若文王周公輩即擔負實際政治之責，對生民因天災人禍而流離失所，若己推而納諸溝中。其於人生之大不幸，憂患猶恐不及，遑論有閒暇之情。周人本此憂患之情，發爲道德倫理之實踐，乃與現實人生密切相關。

㈣憂患意識之凝聚爲敬與明之觀念

憂患之自覺精神爲道德意識之初基。此憂患意識寖孕育爲敬與明之觀念。茲先說敬。〈周書・召誥〉：

> 嗚呼！皇天上帝，改厥元子，茲大國殷之命。惟王受命，無疆惟休，亦無疆惟恤。嗚呼！曷其奈何弗敬！

此言上帝革殷紂之命而改授文王，其事雖至美，然亦貽文王以無窮之憂患，安得不憂敬以保此天命！〈大盂鼎〉：

> 今余隹命女盂，盥燮敬雝德。巠敏，朝夕入諫，亯（駿）奔走，畏天畏（威）。

此言人臣須敬念天威。蓋天能降命，人苟欲保持此天命於不墜，必須自覺以盡人事。能自覺以盡人事，即所以敬天威。〈周書・顧命〉：

> 在後之侗，敬迓天威，嗣守文武大訓，無敢昏逾。今天降疾殆，弗興弗悟，爾尚明時朕言，用

敬保元子釗，弘濟于艱難。

此言在文武後之侗稚，當敬迎天之威命，守文武之教。今天降禍，須敬安太子釗，乃能渡過患難。又天命降於上，人王受命於下者，乃秉承天之意志而行，故人臣亦須敬念王威。〈毛公鼎〉：

緋夙夕敬念王畏（威），不暘。

人之精神自覺固可由敬念天威以顯，然當人敬念天威之際，終不免有「天高高在上」之超越感，而不能使精神之自覺得以充分凝聚。迨由敬念天威而敬念王威，則與所敬者之差距減小，人乃可充量至盡以凝聚其自覺之精神。此即顯示周人漸能注重主體性。

與「敬」之觀念相輔而行者厥爲「明」之觀念。《詩・大雅・大明》：

維此文王，小心翼翼，昭事上帝。

此言文王之事上帝，不獨以敬，亦須以明。蓋天帝之爲體，光明昭著，故《詩》之形容天帝，類以「於昭」、「明昭」、「孔昭」爲言。⑧天帝之光明朗照，足以明察是非善惡而監臨人間。〈周頌・敬之〉：

敬之敬之，天維顯思，命不易哉。無曰高高在上。陟降厥士。日監在茲。

〈大雅・板〉：

昊天曰明，及爾出王。昊天曰旦，及爾游衍。

鄭《箋》：

昊天在上，人仰之皆與之明。常與女出入往來，游溢相從，視女所行善惡，可不愼乎！

天帝既以大明而彰察人間善惡，則殷紂暴虐無道，周人即可本天命而革其命。〈周書・多士〉：

王若曰：爾殷遺多士，弗弔，旻天大降喪於殷；我有周佑命，將天明威，致王罰，勑殷命終于帝。肆爾多士，非我小國敢弋殷命，惟天不畀允罔固亂，弼我；我其敢求位？惟帝不畀，惟我下民秉爲，惟天明畏。

按明謂揚善，威謂懲惡。彼昭明之天帝既好善惡惡，故具道德之義。抑天帝固爲光明朗照，人若受光明之感召，能以自覺之精神而求合於彼昭明之體，則人之生命亦因之而清明朗照。〈周頌・臣工〉：

於皇來牟，將受厥明。

〈大雅・大明〉：

明明在下，赫赫在上。

此即說明文王之自覺而朗照之生命。故《詩》、《書》之稱頌文王，輒以「丕顯」當之。丕顯即大明之謂。大明即表示人之生命通體透澈，能以自覺之精神喚起幽冥之生命。按人之清明朗照之生命固有悟於天帝之光被四表，日月之朗照天地而生發，抑彼昭明天帝之具道德意義實賴人之自覺精神之反射。蓋天帝之昭明乃客觀自存者，苟無主觀之自覺精神之反射，則將一往掛空而缺乏具體之道德意義。人一方面受天帝之光明感召，以澄明其生命；一方面本自覺之精神以使昭明之天帝具備道德之意義，俾天帝之明有所落實。由周人對「明」一觀念之體會，乃見其對主體性之逐漸注重。

㈤自敬與明之觀念形成道德意識

周人於敬與明之觀念，皆表示人之憂患自覺精神之凝聚而漸重主體性。由此以進，即可形成顯豁之道德意識。故當周人之道德意識發展至顯豁之時，遂有敬德與明德之觀念。按道德意識雖蘊釀於殷代，然其形成明顯之觀念當在周初盛行敬與明之觀念以後。考德字始見於周彝。〈班毀〉：

> 公告氒（厥）事于上：隹民亡𢓊才（哉）彝悉（昧）天命，故亡。允才顯，隹敬德，亡逌（攸）違。

〈班毀〉為成王時器。德字最早見於此。⑨德字於文為省心。⑩省為視之義。德字之最初概念係指具體之行為，且多與心字對舉。〈師望鼎〉：

> 不顯皇考寛公，穆穆克盟（明）氒心，悊（哲）氒德。

德字原義為視心而行之負責任行為，其初未具勝義。惟於其前冠以敬字或明字，始具深刻之道德義。敬德為行為之認眞，明德則為行為之明智。⑪故明顯道德意識之形成乃當周初敬與明之觀念盛行之後。周人敬德之觀念至為普遍，其見於〈周書〉者往往而有，如〈無逸〉：

> 厥或告之曰：小人怨汝詈汝，則皇自敬德。

按周人之敬畏天威與王威已具自覺之精神。逮由敬之觀念凝聚成道德意識，則由行為之認眞所顯現之自覺精神乃視前更進一步。

由敬德而有明德。明德之觀念於周人思想中益為普遍。茲略舉數例以明之。〈叔向父毀〉：

余小子司（嗣）朕皇考，肇帥井（型）先文祖，共明德，秉威義。

〈秦公鐘〉：

余佳小子穆穆帥秉明德，叡專明井（刑）。

〈大雅・皇矣〉：

帝遷明德，串夷載路……維此王季，帝度其心。貊其德音，其德克明。

此明德之觀念雖仍與天命相關連，然由行爲之明智所表現之自覺精神，實視徒由「明」之觀念所體現者爲深刻。

周人以自覺之憂患意識引生敬與明之觀念，進而由敬與明凝聚成道德意識以軌範人之行爲，於是中國人文精神乃曙光初露。此人文精神因具道德意義，故與西方之人文主義迥異。

總之，周人之憂患意識誘發於自覺之精神而歸趨於道德意識，復由道德意識進以形成中國宗教重主體性之人文精神。基督教之恐怖意識則以原罪爲深淵，人苟欲自深淵中超拔，厥賴救贖。超拔後之皈依則升天堂而近上帝，此即基督教重客體性之精神。至若佛教之苦業意識則起於人生之無常，由無常而生苦痛。其解脫苦惱後之皈依則臻於涅槃寂靜之境界。

三、自天命無常之思想所形成之道德秩序

㈠天命無常思想之構成

周人敬德與明德之觀念雖具道德義，然此種道德僅爲應然之合理行爲，尙未臻於「內在道德性」（Inner morality）之境。蓋周人聯繫天命以言道德，此係自外在及道德之作用以爲言。周人言道德而聯繫於天命，人若欲對天命有所體悟，則須先有超越感。然則聯繫天命以言道德實具超越義。

抑周人自聯繫天命以言道德而生之超越感，即其天命無常思想之所由出。如上所述，周初之天命思想源於殷人之「帝令」觀念。殷人之上帝原具極大之權威而爲萬有之主宰。及周人依精神自覺以重視人事，乃有天命思想之孕育。周人復本自覺之精神凝聚敬與明之觀念而形成道德意識。由是益能重視人自身之道德踐履以體現超越之天命。周人深知人苟能修德，則天降命，否則，天墜其命。周人以爲殷人之敬事鬼神上帝，不可謂不謹，然終墜其命者，即由於不修德之故。周人以殷爲鑒，故天命無常之思想於周初甚爲盛行。〈大雅・文王〉：

侯服于周，天命靡常。

〈周書・康誥〉：

王曰：嗚呼，肆汝小子封，惟命不于常，汝念哉，無我殄！

此天命無常之思想，顯示天帝無所不在，而非溺愛於某一民族之一君王。後世儒道二家言「天之無私載私覆」及「帝無常處」之思想實導源於此。⑫

㈡天命之不易及不可信

天命既無常，則人愈當重自身之道德踐履，否則難以承天永命，於是有天命不易之觀念。〈大誥

〉：

惟大艱人，誕鄰胥伐于厥室，爾亦不知天命不易。

人苟不重道德踐履，既難以受天永命，則人不能恃天命而不修德，否則天必墜其命，此即天命不可信之觀念所由生。〈大雅・大明〉：

天難忱斯，不易維王，天位殷適，使不挾四方。

按所謂天命不可信，蓋只表示人須注重自身之修德而不能徒恃天之降命，實非對天命之信仰有所懷疑而加以否定。此自覺不能依恃天命之觀念，發展至春秋之世，復因人爲政治之敗壞，寖成怨天之思想。觀幽王以下諸詩，多有怨天之言。然此不過抒情之作，亦非表示時人對天命之懷疑。蓋周人對天命之觀念乃表示在超越方面，冥冥之中有一準則存焉，此準則萬古不變，使人於其制裁下，不能有所逾越。近人輒以周初天命不可信及春秋時代怨天之思想爲周人對天命之懷疑，並由此說明中國傳統宗教逐漸衰落而由哲學思想代之以興。彼輩蓋有見於希臘哲學之興起由於反宗教傳統，遂受此啓示而論斷中國亦當如是。不知希臘哲學之所以起於反宗教傳統者，乃由於希臘哲人不饜足於傳統宗教之富於幻想及由神之喜怒愛惡所形成之互相衝突矛盾。蘇格拉底與歐色弗落（Euthyphro）之對話，即指出神之愛惡無定，而致疑於世俗敬神之論者。⑬柏拉圖及其他哲人於傳統宗教之富於幻想，亦深致不滿。由於希臘哲人對傳統宗教之不慊，遂促成希臘哲學之興起。反觀周人之天命觀念乃周人本自覺之精神與注重自身之道德踐履所培育而成，其於天神甚少涉及幻想。至於神人之關係，亦承殷代之傳統而維持神人間之和合。⑭故周人所重者乃在積極方面之踐德，而不在消極方面之懷疑或反對天命。抑中國宗教甚早即與哲學、政治圓融無間，不若其他宗教之單獨發展。然則所謂周人懷疑天命以使傳統宗教衰落，而由哲學思想代之以興云云，實爲影響附會之談。

㈢踐德與天命

周人之天命思想既著重於人之脩德，則人之欲受天命，必先修其德。〈毛公鼎〉：

> 不顯文武，皇天弘猒（饜）氒德，配我有周，雁（膺）受大命。

此「修德於天命之先」之思想，即後來《易・乾・文言》所謂「先天而天弗違」之所本。按中國宗教精神之重人事而不重對天帝之祈禱，亦淵源於此。

抑周人先重修德之天命觀，與《舊約》謂上帝先有意志以命亞伯拉罕（Abraham）⑮及列王之說大殊。其後之基督教神學亦謂上帝對世界有預定之計劃，然後化身爲「人而神」之耶穌以實現之，並要求世人修德爲善。此則以上帝之命在先，人之修德在後，亦與周人之天命觀迥異。若以上帝之命在先，則人之未來已爲上帝所決定，於是上帝之命人，即逕含命定之義。然若以上帝之命在後，則人之未來非上帝所能定。人於受命之後，仍可自定其未來。故天之命人，實兼涵命人修德不懈，以自定其未來之義。非謂命之爲實際之君王，而錫以富貴之義。《詩》、《書》之所以動輒言文王受命，而偶及武王周公受命者，其故即在此。文王終生踐德，乃歸於「受方國」。逮周革殷命，則成於武王周公。足見文王之受命，實由踐德以受保國安民之責，非謂天帝以文王有德即畀以王位福祿。此受命後更當修德之思想，即後世儒者常言「自明明德」思想之根本。⑯

抑人受天命後仍不懈於踐德，則不獨能於有生之年保有天命，更能於死後配享天帝。按周人配天之觀念源於殷人「賓帝」之思想。殷人賓帝之思想雖具道德義，⑰而其義蘊未顯。及周人於道德意識之體會加深，並以此顯豁之道德意識貫注於天命之思想中，以爲人踐德於天命之先，復當修德於受命之後，於是周代以人配享上帝之思想乃具深刻之道德意義。〈周頌・思文〉：

> 思文后稷，克配彼天，立我烝民，莫匪爾極。

按希臘、希伯來、阿拉伯諸宗教思想向無以人配享上帝之說，其所以然者，乃由於諸宗教思想趨於人神懸隔，又以上帝之命人逕含命定之故。

總之，人由踐德以顯示並決定天命之意義，由是形成一道德秩序（Moral order），此道德秩序略相當於希臘哲學中之公正（Justic）觀念。唯周人此道德秩序之義蘊視希臘人之公正觀念爲豐富。依周人所體會之道德秩序，天視人之踐德而降命，否則撤命，然則天仍具人格神之意味。

四、天命之為創生真幾

㈠天命宇宙秩序之形成與人真實主體性之確立

人之承受天命，固由於修德。然人苟能作進一步之自覺，則當天命下貫之際，即可直下肯定自身之主體。於是天命愈下貫於人，人之主體乃愈得以肯定。自外表言之，人藉修德之功能以肯定自己；

然本質言之，人實於天命下貫而爲自身眞實主體中以肯定自己。自天命言，則天命不獨於人之踐德功能中受肯定，抑於人之主體中受肯定。天命由是自道德秩序轉而爲宇宙秩序（Cosmic order）。

天命既下降而爲人之主體，則人之眞實主體性（Real subjectivity）當即形成。主體而謂眞實者，乃表示其非形而下，而爲形而上者。

按基督教不重人之眞實主體性，此與周初重主體性之宗教精神大異其趣。如上所述，基督教根源於恐怖意識，人設能由恐怖之虛無中奮然躍出，即便皈依上帝而升入天堂。此皈依乃表示解消自己之主體，亦即澈底否定自身之存在，而依附於一客觀超越存在之上帝處。至於周初重主體性之宗教精神則根源於憂患意識，由之引生道德意識。進而以道德意識貫注於天命，終於肯定人之眞實主體性。

基督教蓋由不重視人之眞實主體性以致人神（天）懸隔，由是人之期望天命，乃若渺不可即，而頓感人生之蒼涼。如此之人生，自重主體性之宗教觀點視之，實不無遺憾。按基督教之伊甸園神話，顯示人不獨具原罪，亦本有神性以爲其眞實之主體。蓋阿當與夏娃之受創造，實本於上帝之意旨，故二人原爲上帝之肖像而與神性合一。[18]及吃智慧果，乃動情欲而與神性分離。[19]基督教因此唯重人之原罪，以爲神性唯上帝有之。人既離神性，遂失其本而淪於罪惡。人欲超拔於罪惡而與神性復合，唯賴耶穌之救贖，而不能依自身之覺悟。基督教之未能肯定人之眞實主體性，其故在此。故依基督教之精神，人唯向上投注於上帝；此視周初宗教精神之以天命往下貫注於人，實大有逕庭。[20]

㈡天命自人格神轉化爲創生之眞幾

周初宗教精神之重主體性，其以天命往下貫注於人，不獨於人之踐德功能中肯定此天命，抑於人之主體中肯定之。於是天命乃自道德秩序轉化而爲宇宙秩序，天之人格神意味亦由之而轉爲一創生不已之眞幾。〈周頌・維天之命〉：

維天之命，於穆不已。

此以「於穆」形容天命。於穆兼具深奧與深透二義。宇宙之變化無窮，其後似隱藏一深邃之力量以推動之，此即《易・繫辭》所稱「生生之謂易」之義。天命深邃而流行不已，其生化萬物而作用無窮，此即視天命爲本體論之實在（Ontological Reality）或本體論之實體（Ontological Substance）。

㈢創生眞幾之天命兼具超越與內在義

天命之爲創生眞幾，其生化萬物之妙用無窮，固具超越（Transcendent）義；及其貫注於人而爲人之主體，則亦具內在（Immanent）義。按宗教重超越義，道德重內在義。天命既超越又內在，則可謂兼具宗教與道德之義蘊。中國宗教精神之不局限於超越方面，而重內外貫通，雖淵源甚早，然其定型實始於周初。

天命既兼具超越與內在義，則人若能秉持天所下貫於己之理則，即可貞定其主體。〈大雅・烝民〉：

天生烝民，有物有則；民之秉彝，好是懿德。

此謂天生萬民既有維繫人倫關係之原則，復能秉守常性以好善惡惡，於是人之眞實主體當即確立不移。觀乎西方動輒視人爲首席動物，使人之生命喪失其創生主體，則彼此相去實不可以道理計。

按天命下貫於人而爲其主體，原對王者爲言。王者於天命下貫爲其主體時即肯定其自己。然天命若唯下貫於王者，則人之肯定其主體以踐德，亦僅限於王者個人。及〈烝民〉之詩以爲凡人皆有眞實主體，則天命乃下貫於一切人而爲其主體。若此，人之肯定其主體以踐德，其普遍性乃得而彰顯。其後孔子肯定人人皆可踐仁成聖，殆受此啓示。孟子亦嘗引此詩及孔子對此詩贊語以證成其性善之說。㉑

人之眞實主體之樹立既顯其普遍性，則人本此眞實主體以踐德不已，必能使之通體瑩澈，而終可媲美於天。故〈維天之命〉之詩以「於穆不已」形容天命之後，即對文王之德加以讚嘆：

於乎不顯，文王之德之純。

天命固下貫而爲人之主體，抑其創生之活動乃因人之踐德不已而益加肯定，由此遂開啓後世言性與天命相貫通之門。作此詩者實有道德及形而上之洞悟。

五、周初宗教之禮樂化

㈠周初宗教未形成普通宗教之形式

周初之宗教精神既重主體性之樹立，則人依自身之覺悟即足以體現天命。如此，其重點不著於客觀之天命，故終未形成普通宗教之形式。普通宗教之形式由宗教儀式之祈禱而彰顯。按宗教儀式之祈禱起於呼求之情。人苟於主觀方面有呼求之情，則視客觀之天爲人格神。此人格神之天若加以形式化，即可由此開展一宗教之教義。至主觀方面之呼求之情，則將由此成爲宗教儀式之祈禱。按祈禱所本之呼求之情蓋每一民族所共有。周人呼求之情，間亦可見。《詩・小雅・巷伯》：

蒼天！蒼天！視彼驕人，矜此勞人。

又〈大雅・雲漢〉：

瞻卬昊天，曷惠其寧！

至於視客觀之天爲人格神，則上文所述周人降命之說，皆以天爲有意志者。惟周人天命觀之演進既重人自身之覺悟以體現天命，則使主觀呼求之情疏散而未能形式化。故終未由此轉爲宗教儀式之祈禱。主觀呼求之情既未轉爲祈禱，則客觀之天乃於人依自身覺悟以肯定其眞實主體時，自人格神轉化而爲本體論之實在，故天帝之人格神觀念亦不顯豁。

(二)周初宗教之禮樂化

周初宗教精神因重主體性而淡化呼求之情。周人之淡化呼求之情，乃所以超越普通宗教之儀式而轉化爲日常生活法則中之禮樂與倫常。此日常生活法則之禮樂與倫常固由中國特殊之宗教精神所形成，抑中國宗教精神生活領域之開闢亦不離此日常生活法則，非若基督教與佛教之捨棄日常生活法則而另闢其精神境界。中國禮樂與倫常之作爲日常生活之軌範，足以化民成俗，具有嚴肅之道德意義。且由此所開闢之宗教精神更具有永恆之價值。近人依社會學觀念或生物學觀念以衡量中國所特有之禮樂與倫常，實失諸淺陋。周初宗教精神因漸重主體性，於是促成禮樂與倫常觀念之萌芽，周公乃於此時制禮，蓋因勢利導，卒開一代文運。降及春秋，此禮樂與倫常之觀念益爲顯著，此則非本文所及。

【附註】

① 參拙作《自殷代宗教探索中國之宗教精神》。（見《新社學報》創刊號）

② 同註①。

③ 參考徐復觀：《中國人性論史》第二章〈周初宗教中人文精神的躍動〉。

④ 太王之經營岐下，《詩・大雅緜》敘之綦詳。

⑤ 見《詩・大雅・皇矣》。

⑥ 見契爾克伽特（Kier Kegaard）：《恐怖之概念》。（*The Concept of Dread*）第三八頁

⑦ 參考：牟宗三先生：《中國哲學的特質》第一三頁

⑧ 見〈周頌・桓〉、〈臣工〉。及〈大雅・抑〉諸詩。

⑨ 卜辭無德字，殷彝亦無之。羅振玉《殷契考釋》以[illegible]等字爲德，郭沫若則以爲「徝」字，見《金文叢考》：〈周彝中之傳統思想考〉。

⑩ 德字《說文》作悳，從直從心。此從郭沫若說，見《周彝中之傳統思想考》。

⑪ 同註③。

⑫ 參考唐君毅先生：〈先秦思想中之天命觀〉。（見《新亞學報》第二卷第二期）

⑬ 見柏拉圖《對話集》（*The Dialogues of Plato*） Vo1. I, PP. 307-333 Euthyphro

⑭ 同註①。

⑮ 見《舊約・創世紀》 XIII 15-17;XV7,18-21; XVII 1-9

⑯ 同註⑫。

⑰ 同註①。

⑱ 見《舊約・創世紀》I 26-27,31; II 7-9,15-25.

⑲ 見《舊約・創世紀》III 1-19

⑳ 參考牟宗三先生：《中國哲學的特質》第三講〈憂患意識中之敬、敬德、明德與天命〉

㉑ 見《孟子・告子》上

《新社學報》第五期　一九七三年十二月

叁、春秋戰國時代宗教的思想和意識形態

一、前言

春秋戰國時代的宗教，繼承殷代和周初的傳統，雖然仍舊以上帝或天爲中心，但卻進一步向兩方面發展：從意識形態的層面說，它從作用上去體會人格神的天，從思想的層面說①，當時諸子各家對人格神的態度各有不同。後來隨人文的進展，人格神的天轉化爲形而上的實體。儒家對形而上實體的天與人性的關係又有兩種不同的體會：一方面以宇宙論爲出發點講「天命之謂性」，再由道德實踐以參贊天地之化育；另一方面，則從道德實踐講踐仁、盡心以知性、知天。這兩個系統所講的天人合一都具有很高的宗教性。此外，有的學者從自然的觀念看待天，則使天命的思想產生徹底的變化。

二、宗教的意識形態

春秋戰國時代上承周初的傳統，從一方面說，仍把天看作人格神。②此人格神的作用稱爲命。③春秋戰國時代的人以爲大自然現象如日蝕、彗星的出現等都是人格神的天的旨意。如〈洪範〉便把大自然休咎徵兆視爲天給人的訊息。④

八、庶徵：曰雨，曰暘，曰燠，曰寒，曰風。曰時五者來備，各以其敘，庶草蕃廡。一極備，凶；一極無，凶。曰休徵：曰肅，時雨若；曰義，時暘若；曰哲，時燠若；曰謀，時寒若；曰聖，時風若。曰咎徵：曰狂，恆雨若；曰僭，恆暘若；曰豫，恆燠若；曰急，恆寒若；曰蒙，恆風若。曰王省惟歲，卿士惟月，師尹惟日。歲、月、日時無易，百穀用成，義用明，俊民用章，家用平康。日、月、歲、時既易，百穀用不成，義用昏不明，俊民用微，家用不寧。庶民惟星星有好風，星有好雨。日月之行，則有冬有夏。月之從星，則以風雨。⑤

天藉休咎所昭示的意旨也被視爲對人的主宰。所以當鯀不遵照天帝所創造的五行規律來治水時，「帝乃震怒，不畀洪範九疇，彝倫攸斁。鯀則殛死，禹乃嗣興，天乃錫禹洪範九疇。」⑥

關於天對人的主宰作用，當時載籍尚多這方面的記載。

《易》曰：自天祐之，吉，無不利。子曰：祐者，助也。天之所助者，順也。人之所助者，信也。履信思乎順，又以尚賢也。是以自天祐之，吉，無不利也。⑦

此說人若得天之助，則無往而不吉利。另一方面，鄭史伯爲桓公論西周將亡，說：

周法不昭，而婦言是行，用讒慝也；不建立卿士，而妖試幸措，行暗昧也。是物也，不可以久。且宣王之時有童謠曰：檿弧箕服，實亡周國。於是宣王聞之，有夫婦鬻是器者，王使執而戮之。府之小妾生女而非王子也，懼而棄之。此人也，收以奔褒。天之命此久矣，其又何可爲乎？《訓語》有之曰：夏之衰曰：褒人之神化爲二龍，以同于王庭，而言曰：余，褒之二君也。夏后卜殺之與去之與止之，莫吉。卜請其漦而藏之，吉。乃布幣焉而策告之，龍亡而漦在，櫝而藏之，傳郊之。及殷、周，莫之發也。及厲王之末，發而觀之，漦流於庭，不可除也。王使婦人不幃而譟之，化為玄黿，以入於王府。府之童妾未既齓而遭之，既笄而孕，當宣王時而生。不夫而育，故懼而棄之。為弧服者方戮在路，夫婦哀其夜號也，而取之以逸，逃于褒。褒人褒姁有獄，而以為入於王，王遂置之，而嬖是女也，使至於為后而生伯服。天之生此久矣，其為毒也大矣，將使候淫德而加之焉。⑧

史伯把西周將亡，歸罪於夏代「褒人之神」的漦（即涎水）化為美女褒姒來擾亂朝廷，而慨嘆說：「天之命此久矣。」此說天之懲罰，以致國亡。此外，《管子》對人格神之天的主宰作用也有記載：

龍鬥於馬謂之陽，牛山之陰。管子入復於桓公曰：天使使者臨君之郊，請使大夫初飭，左右玄服天之使者乎？天下聞之，曰：神哉齊桓公！天使使者臨其郊。不待舉兵而朝者八諸侯。此乘天威而動天下之道也。⑨

此說天使諸侯朝齊而助成桓公的霸業。由以上的例證，可見天的主宰作用，不論是賞或罰，都關係一國的興亡。這正是繼承周初天命說而來的發展。⑩但春秋戰國時代天命的發展並不止於此。在以上所引證的例子中，《洪範》把大自然休咎徵兆視為天予人的旨意；《國語・鄭語》記載「檿弧箕服，實亡周國」的童謠及神話；《管子》記載天下之人相信「天使使者臨其郊」；這些都涉及民眾的通俗信仰（Popular religion）。⑪這種通俗信仰和周初以來官方的天命思想相結合，便形成一套強烈的意識形態。這套意識形態加强了周初以來君權神聖(授)的官方思想。⑫所以到了春秋戰國時期,不但官方的天命思想大爲流行,即一般民衆也相信天命及接受政權受命於天的說法。⑬

官方的天命思想既滲透於通俗的意識形態中,於是落實於民生日用,再配合當時的封建制度,便形成一套有分位等差的祭祀制度。春秋戰國時代對祭祀甚爲重視。⑭在春秋戰國時代的祭祀系統中,最高的祭祀對象是天(上帝)。天統攝諸神而爲諸神之長。現世的人王既受命於天,而稱爲天子,故唯有天子能祭天。祭天使皇權與天相聯繫,而足以鞏固皇權。⑮祭天的典禮叫做郊。

> 郊社之禮,所以事上帝也。⑯
>
> 郊之祭也……大報天而主日也……於郊,故謂之郊。……祭之日,王皮弁以聽祭報,示民嚴上也。喪者不哭,不敢凶服,氾埽反道,鄉爲田燭。弗命而民聽上。⑰

王者假借天以行使他的權力,落實在現實生活上,便假借郊祭以威服民衆。在郊祭之日,王者戴著皮弁聽取百官報告各項事務的進行情形,以指示民衆要尊敬上司的命令。在祭祀當天的各種安排:如居喪者不得哭泣,穿喪服的人不敢進入國門,各處都掃除清潔,人行道上翻舖新土,各鄉的田裡都燃著火炬—民衆都不必佈告而嚴格遵守。⑱

除了祭天是最重要的祀典外,當時較爲重要的祀典還有旅或望。這是對山川的祭禮。⑲只有天子、諸侯才配祭祀山川。山川是國家執行政治統治力的媒介物。山川所以具有這樣的威力自然不是由於山川的本質,這不過是現實政權的一種假借。擔負維持社會和宇宙良好秩序雙重責任的天子、諸侯假借山川的威力而維持他們的政治統治，於是旅或望的祭祀便是政治與宗教結合的一種意識形態。⑳

至於這套祭祀系統最和民衆接近的神則爲社。

社祭土而主陰氣也……社所以神地之道也。地載萬物，天垂象。取財於地，取法於天，是以尊天而親地也。故教民美報焉。家主中霤而國主社，示本也。唯爲社事，單出里。㉑

舉行社祭時，里中的民衆都必須參與。因爲社祭所以祭地，地是王者以至民衆生息之所，於是自王者以至民衆都可參加社祭。郊祭所以尊天，社祭所以親地。天地並舉，便足以概括一套分位等差的祭祀制度。

此外，對人神的祭典則爲祭祖先。從王者到士都有宗廟以祭祀他們的祖先。天子把最有功德的祖先去配享天（上帝）。

萬物本乎天，人本乎祖，此所以配上帝也。㉒

周人的始祖后稷，一方面是稷神，一方面又是配天而享的太祖。㉓至於士，雖也有宗廟以祭祖，但卻不可以祖先配享天。

由上可知，不論祭天、祭地、祭山川或祭祖先，都是環繞著政治爲中心而形成一套分位等差的祭祀制度。

故政者，君之所以藏身也。是故夫政必本於天，殽以降命。命降于社之謂殽地，降于祖廟之謂仁義，降於山川之謂興作，降於五祀之謂制度。此聖人所以藏身之固也。㉔

孔穎達說：

此則廣言政之大理本於天地及宗廟山川五祀而來。所來既重，故君用之，得藏身安固也。㉕

此說明君主借重於天地及宗廟、山川、五祀以施政，則足以藏身安固。所以這套祭祀制度一旦確立，那麼，民眾對現實政權依附的政治意識便得以加强㉖，最終甚至促成民眾對天命意識的肯認。天命既獲得肯認，現實政權即或以暴力取天下，亦能借「敬畏天命」的外衣以統治人民。故天命作爲人格神的主宰作用，主要表現在政治上。另一方面，官方的天命思想雖與通俗的信仰結合，但終於因爲缺乏創世的神話和先知的傳統，所以人格神的天命只形成一種作用性的宗教意識形態，而沒有構成一種具實體性（Entity）意義的有神論宗教。㉗

三、宗教的思想

春秋戰國時代宗教的思想可從兩方面分析：一方面是當時的知識分子對人格神的天命所持的態度；另一方面是天轉化而爲形而上實體所具有的意蘊。

1. 知識分子對人格神的態度

儒家的孟子從理性的層面，雖然想減少人格神之天的主宰作用，但現實政權由暴力得到卻託之於天命，孟子也只能默許。孟子對政權的現實來源實無能爲力，只能從理想來說禪讓政治。

萬章曰：堯以天下與舜，有諸？孟子曰：否。天子不能以天下與人。然則舜有天下也，孰與之？曰：天與之。天與之者，諄諄然命之乎？曰：否。天不言，以行與事示之而已矣。曰：以行與事示之者如之何？曰：天子能薦人於天，不能使天與之天下；諸侯能薦人於天子，不能使天子與之諸侯；大夫能薦人於諸侯，不能使諸侯與之大夫。昔者堯薦舜於天而天受之，暴之於民而民受之。故曰：天不言，以行與事示之而已矣。曰：敢問薦之於天而天受之，暴之於民而民受之，如何？曰：使之主祭而百神享之，是天受之；使之主事而事治，百姓安之，是民受之也。天與之，人與之，故曰：天子不能以天下與人。舜相堯二十有八載，非人之所能為也，天也。堯崩，三年之喪畢，舜避堯之子於南河之南。天下諸侯朝覲者，不之堯之子而之舜；訟獄者，不之堯之子而之舜；謳歌者，不謳歌堯之子而謳歌舜；故曰天也。夫然後之中國，踐天子位焉。而居堯之宮，逼堯之子，是篡也，非天與也。《太誓》曰：天視自我民視，天聽自我民聽，此之謂也。㉘

孟子從道德理想上說堯舜禪讓，自與當時之宗教意識形態以為天諄諄然命天子不同。孟子對政權的來源固然在現實上無能為力，但卻期望在道德上借天命的外衣來約束天子。雖然這約束力的效果很令人懷疑。

儒家以為人格神之天的主宰作用不止於對王者的約束，也及於個人的生活遭遇。孔子對天命的體會固然是這樣㉙，孟子也不例外。

樂正子見孟子，曰：堯告於君，君為來見也。嬖人有臧倉者沮君，君是以不果來也。曰：行，

或使之；止，或尼之。行止，非人所能也。吾之不遇魯侯，天也。臧氏之子焉能使予不遇哉？㉚

夫天，未欲平治天下也；如欲平治天下，當今之世，捨我其誰也？吾何爲不豫哉？㉛

孟子不遇魯侯，自以爲天之所致，而非臧倉所能爲力；又以爲自己的不得志，是由於天不希望平治天下。這些都是孟子所謂「求之有道，得之有命。」㉜所以孟子既不怨天，也不尤人，而只著重於自己的進德修業，以事天立命。㉝孟子和孔子都是以實踐道德爲人生的本位。但依據孔孟之教，人們從事道德實踐並不能擺脫天命對人們生活的各方面限制，所以在現實上德福未必相稱。在情識上，孔孟雖然從現實生活的德福不相稱以體會天命的限制，但在理智上，他們並不肯定天的賞罰，以保證德福一致。這和康德（Kant,1724-1804）的道德神學不同。康德講最高的善，並依基督教傳統假設上帝的存在，以保證德福相稱。㉞另一方面，孔孟之教也和墨家的天志說以及道家的疑天論有異。墨家以爲現世的禍福是天的賞罰所致。㉟道家則鑒於現世的德福未必相稱，從而以天地爲不仁。㊱總之，孔孟在理性上自發地實踐道德，而在情識上卻順受天命的限制，以敬畏天命以及事天立命，但並不主張天有賞罰以保證德福相稱。所以孔孟之教固然未流於墨家的迷信或道家自然主義的機械論㊲，也未形成像康德那樣的道德神學。它可說是一種道德或倫理的宗教。

2.天命轉化爲形而上實體及天人合一的宗教性

周代建立政權之初強調天命的絕對性，這是由於周代殷而興，所以對殷朝舊屬不得不強調天命所歸，以鞏固新政權。及政權穩定之後，當政者又恐本部屬懈怠，故又有天命無常之說。㊳周人天命無常之說並非根本否定天命的存在㊴，它只表示周人逐漸注重人事。這一注重人事的傾向發展到春秋戰國時期更爲顯豁。

隕石于宋五，隕星也；六鷁退飛過宋都，風也。周內史叔興聘于宋，宋襄公問焉，曰：是何祥也？吉凶焉在？對曰：今茲魯多大喪，明年齊有亂，君將得諸侯而不終。退而告人曰：君失問，是陰陽之事，非吉凶所生也。吉凶由人。吾不敢逆君故也。㊵

叔興以爲隕石于宋，六鷁退飛過宋都，這些都是陰陽之事，而與吉凶無關。按魯僖公十六年，魯季友等卒。㊶魯僖公十七年，齊桓公卒，國內發生亂事㊷。宋襄公的霸業到了僖公二十二年便告終㊸。叔興的預言後來竟都應驗。但這些只是巧合。叔興當時不敢逆宋襄公之意，不得已而作預言。在理智上，他到底相信「吉凶由人」。

禍福之所自來，衆人以爲命，焉不知其所由。㊹

命也者，不知所以然而然者也。㊺

此雖不肯定禍福由人，卻否定禍福爲命所定。《呂氏春秋》的作者以爲命是「不知所以然而然」，這和孟子所謂「莫之致而至者，命也㊻」，以及荀子所謂「節遇之謂命㊼」同義，而與周代初年把命看作人格神對人的限制作用有很大的不同。所以從春秋戰國時人對命的體會，也可以看出當時人文精神的興起。

晉人聞有楚師。師曠曰：不害！吾驟歌北風，又歌南風。南風不競，多死聲，楚必無功。董叔曰：天道多在西北，南師不時，必無功。叔向曰：在其君之德也。㊽

楚國進攻鄭國，起初很順利，後來在魚齒山遇到到綿綿大雨，魚齒山之下有滍水，河水深且難涉，致使「楚師多凍，役徒幾盡。」㊾師曠妙知音律，可能聽到陷於困境的楚軍唱出低沉的歌曲而斷定楚軍必敗。㊿稽康說：

師曠多識博物，自有以知勝敗之形，欲固眾心，而託以神微。(51)

師曠雖然託以神微，但卻依據楚師人心渙散，唱出低沉的歌曲爲說。董叔從楚師失察於天時而遇大雨，於是斷定它必然無功。叔向則以爲楚師之敗，關鍵「在其君之德」。三人之中，師曠和叔向都是從人的角度而立論。

石駘仲卒，無適子，有庶子六人，卜所以爲後者。曰：沐浴佩玉則兆。五人者皆沐浴佩玉。石祁子曰：孰有執親之喪，而沐浴佩玉者乎？不沐浴佩玉。石祁子兆。衛人以龜爲有知也。(52)

石祁子獲選爲衛國的繼承人，實由於執親之喪，不沐浴佩玉的理性行爲所致。(53)至於龜兆顯示祁子該作繼承人，只是偶合。衛國人以龜爲有知，也是據祁子的理性行爲來說，而不是迷信龜確實有知

晉侯有疾，鄭伯使公孫僑如晉聘，且問疾。叔向問焉……子產曰：……山川之神，則水旱癘疫之災，於是乎禜之；日月星辰之神，則雪霜風雨之不時，於是乎禜之。若君身，則亦出入飲食哀樂之事也，山川星辰之神，又何爲焉。(54)

神灶曰：不用吾言，鄭又將火。鄭人請用之。子產不可，……曰：天道遠，人道邇，非所及也，何以知之？灶焉知天道，是亦多言矣，豈不或信。道不與。[55]

鄭子產不信山川星辰之神與晉侯之疾有何關係，也不信灶能知天道。他以爲「天道遠，人道邇」，最足以窺見當時有識之士對人或人道注重的一斑。[56]

此外，春秋以降對人或人道的注重，也可以從官制的進化得到證明。

天子建天官，先六大，曰：大宰、大宗、大史、大祝、大士、大卜，典司六典。天子之五官，曰：司徒、司馬、司空、司士、司寇，典司五眾。天子之六府，曰：司土、司木、司水、司草、司器、司貨，典司六職。天子之六工，曰：土工、金工、石工、木工、獸工、草工，典制六材。[57]

六大中的大宗、大祝、大卜都是宗教性質的官職，在當時居於最重要的地位。但自春秋以降，這些官職的勢力逐漸被五官所掩蓋，這一方面可以間接地說明當時對人或人道的關注。[58]另一方面也可以看出在上述的分位等差的祭祀制度下，帝王與官僚集團負擔宗教的功能，排除了教會成爲獨立與強有力團體的可能，這對當時和後世產生非常深廣的影響。[59]

從宗教方面說，春秋以來既缺少獨立與强有力的宗教團體，加以時代精神對人或人道的强調，於是使周初以來的宗教精神逐漸注重主體性，終於使天的意義由人格神轉化爲形而上的實體。[60]天作爲形而上實體，它具有創生的意義。那麼，它與人的本體的關係如何？人的本體可由形而上實體的天的創造活動中體認。但在形而上實體逐步下貫爲人的本體的過程中，此創造實體的創生不已，也由人的貞定本體所作的道德實踐而愈加肯定，由此敞開人的本體和天的隔閡。劉康公說：

吾聞之，民受天地之中以生，所謂命也。是以有動作禮義威儀之則，以定命也。能者養之以福，不能者敗以取禍。是故君子勤禮……勤禮莫如致敬……敬在養神……國之大事，在祀與戎。祀有執膰，戎有受脤，神之大節也。今成子惰棄其命矣，其不反乎？61

所謂民受天地之中以生，此「生」指的是個體生命的存在。既有個體生命的存在，便有所謂命。此「命」指的是根命，也即是人的原始生命力。人的這種原始生命力稟受自天地之中。所謂天地之中，指的是天地之氣。所謂氣，它是物質（Material）的總名。這種物質之氣必須中和或沖虛，才能形成人的根命。所以這種物質的氣是動態的，它和西方哲學所說的作爲材料（Stuff）的Matter不同，因爲Matter是靜態的緣故。《左傳》的作者從天地的中和之氣來說命，把天看作創生不已的眞幾，這是依據宇宙論的概念（Cosmological idea）來說的。發明這一概念的人眞有形而上的洞見。（Metaphysical insight）。

人既然由於天地中和之氣而形成他的根命，隨後便當借助一切規儀法則來貞固他的命，以便使他的根命不至動蕩或散亂。人的根命一旦貞定，它便具有道德的意義。但是在這一意義下的道德並不是內在於人的，這是由於人所借助以貞定根命的一切規儀法則都是外在於人，而不是由人的內心所發。何以見得？這可以從那些規儀法則都是關聯著禍福和致敬養神來說顯示出來。人既然依賴外在的規儀法則來貞定根命，那麼，他還未能憑藉本身的力量來形成自己的性。如果人能憑藉本身內在的力量，經由道德實踐來貞固天地所降的命，那麼，他一方面將天命內攝而形成自己的性；另一方面，則把天看作形而上實體。這一義理發展到《中庸》便達到完成的地步。《中庸》開宗明義地說：「天命之謂性」㉒，便是把天的創造活動內攝而爲自己的性。

天地之道，可一言而盡也。其爲物不貳，則其生物不測。㉓

可見《中庸》在另一方面則把天地之道（天命）轉從它的化育的作用處去體會。

唯天下之至誠，爲能經綸天下之大經，立天下之大本，知天地之化育。夫焉有所倚？肫肫其仁，淵淵其淵，浩浩其天。苟不固聰明聖知達天德者，其孰能知之？㉔

唯天下至誠，爲能盡其性；能盡其性，則能盡人之性；能盡人之性，則能盡物之性；能盡物之性，則可以贊天地之化育；可以贊天地之化育，則可以與天地參矣。其次致曲，曲能有誠，誠則形，形則著，著則明，明則動，動則變，變則化，唯天下至誠爲能化。㉕

人欲體會天地的化育作用，甚至贊天地的化育而與天地參，則須從事道德實踐以臻於至誠。

誠者，天之道也；誠之者，人之道也。㉖

人實踐道德既達到至誠的境界，便可契證天地也由於不貳（誠）而產生化育作用的奧妙道理。《中庸》講天地的化育，主張人由道德實踐加以參贊；《易傳》講天地之道，也主張由人加以裁成輔相。

天地交，泰。后（君）以財成天地之道，輔相天地之宜，以左右民。[67]

夫大人者，與天地合其德，與日月合其明，與四時合其序，與鬼神合其吉凶。先天而天弗違……天且弗違，而況於人乎？況於鬼神乎？[68]

人的道德創造活動充其極，則成爲大人。大人在創造活動這一本質上便可和天地相合。《中庸》和《易傳》都是以宇宙論爲出發點，一方面繼續發展並確定天作爲形而上實體的意義，一方面則把天之所命內攝爲人的性，進而表現人的道德創造活動。《中庸》和《易傳》對人性的規定雖然比劉康公所說「民受天地之中以生，所謂命也」來得深刻，但由於還是從客體的天命來規定人性，所以對天人合一的體會便不免一間未達。至於孔孟的系統則不同：

子曰：莫我知也夫！子貢曰：何爲其莫知子也？子曰：不怨天，不尤人。下學而上達。知我者其天乎？[69]

孟子曰：盡其心者，知其性也。知其性，則知天矣。[70]

孔孟都是從主體的道德實踐以肯認仁體、心體與性體。孔子下學上達，使天契合於己；孟子則盡心知性、知天。孔孟由實踐道德所契證的天，自然也是具有化育作用的形而上實體。於是在孔孟系統中才眞正使主體的心性與客體的形而上實體的天契合無間。[71]這是孔孟對天的體會的另一面。孔孟和《中庸》、《易傳》的系統對天人合一的體會容有不同，但都共同肯定人的精神生命的無限與不朽。這一無限與不朽的觀念雖然不等同於一般宗教所說的「來世[72]」，但就它對人生具有一終極嚮往之情來說，無疑地它具有很高的宗教性。必須指出，儒家這一宗教性已經過理性的洗禮，成爲韋伯（Max Weber 1864-1920）所說的宗教的理性化。⑬

如果進一步把孔孟和《中庸》、《易傳》對天人的體會作一圓融的詮釋，那麼，儒教的宗教理性化的傾向更爲顯豁。如上所論述，形而上實體的天把創造性賦予人，而形成人的性。人則自覺地充分實現他的創造性，以契證甚至參贊形而上實體的天的創造活動。由此可見：人對天具有一使命感，而須克盡他對天的神聖義務。韋伯以爲儒者對超越現世的上帝絕不負任何使命，因此也從不受神意的約束。⑭其實，依上文的分析，儒者固有受神意約束的一面（如儒者的敬畏天命以及事天立命），也有對天克盡神聖義務的一面。不過儒者在這方面已把天的意義由人格神轉化爲形而上實體而已。儒者由踐德以契證人與形而上實體的天的合一，如從理或從終極的境界上說，似乎是理所馴至；但從氣或從修養過程上說，則有無窮的障礙必須克服。⑮從這方面說，天人之間便不如韋伯所說缺少緊張性了。⑯

孔孟講天人合一所顯現天人之間的緊張性，實具有道德和宗教的意義。但到了荀子，天人之間的關係卻完全改變。荀子固然不講天人合一，更不像孔孟那樣受天命的約束而對天敬畏事奉。荀子從自然的觀念去看待天，以爲「天行有常，不爲堯存，不爲桀亡。」⑰天既爲自然的存在，於是人可「制天命而用之」。⑱上文提及孟子期望借天命的外衣以約束現實政權的不合理性。這一約束力雖然效果不大，但對統治者不合理的意欲多少產生一種精神壓力。至於荀子制天命的思想卻使自古以來天的權威性和自春秋以降天所具有的形而上實體的意義都喪失殆盡。⑲春秋戰國以來，天命思想變化之大，可以說無過於此了。⑳

【附註】

① 關於意識形態和思想的分別以及兩者的關係，參考 Daniel Bell, *The End of Ideology*（New York :1960）p.370; H. stuart Hughes *Consciousness and Society*（New York : 1958）, Chapter 1.

② 關於古代的天的人格神意義，參考顧頡剛《古史辨》（上海：開明書局，一九三五）第五冊，頁三四三～七五三；聞一多〈天問釋天〉，見《清華學報》第九期（一九三四年），頁八七三～八九五；拙著《論周初之宗教精神》，見《新社學報》第五期（一九七三年十二月），頁一～一五。

③ 關於古代對命的說法，參考馬敘倫〈說命〉，見《學林》第九期（一九四一年七月），頁一五～三四；傅斯年《性命古訓辨證》（上海：商務印書館，一九三八），頁四，一二，一六，二二，四一；陳榮捷（Wing-tsit Chan）, *Religious Trends in Modern China*（New York : Columbia University Press ,1953）, pp.27-29.

④ 〈洪範〉產生的時代，傳統上認爲在西周初年。近代學者則多認爲它產生於戰國時代。近人劉起釪以爲〈洪範〉原本出於商末，歷西周、春秋、戰國而有所增益或潤色。最後可能經齊方士的整理或加工。見所著《洪範成書時代考》，見《中國社會科學》第三期（一九八〇年）。

⑤《尚書・洪範》見《尚書正義》（北京：中華書局《十三經注疏》本，一九五七），頁四二三～四二七。

⑥同上，頁四〇三。

⑦《周易・繫辭・上》見《周易正義》（北京：中華書局《十三經注疏》本，一九五七），頁三九一。

⑧《國語・鄭語》（上海：古籍出版社，一九七八）卷一六，頁五一八～五一九。

⑨《管子・輕重・丁》（上海：中華書局《四部備要》本），卷二十四，頁一一a～一一b。

⑩天命之說確立於周初。參考拙著《論周初之宗教精神》，見註②，頁一～一五。Creel 認爲天命說本來就包含在古代文化的傳統中（包括商人的傳統），但卻由周人大力地加以發展和應用，因天命說符合周人在情勢上的需要。參考氏著 *The Birth of China*（London：Jonathan Cape Ltd., 1936），p.372。但 Creel 又以爲天由古代君王死後演變而成（參考氏前揭書，頁三四二～三四三），則有待商榷。參考杜而未《中國古代宗教研究》（臺灣：學生書局，一九七八），頁一～一九。

⑪關於中國古代通俗信仰（意識形態）的研究，在中國顯得相對地缺少。王充的《論衡》是這方面的傑出代表。參考Herrlee Glessner Creel，*Sinism*（Chicago：The Open Court Publishing Co., 1929），pp.111-120；John Ross, *The Original Religion of China*（Edin burgh：1909），Passim.

⑫君權神聖（授）說，在原始部落和近代以前的國家中，具有普遍的意義。參考Ernst Cassirer，*The Myth of the State*（New Haven：Yale University Press，1946），chap. VII; Robert W. Williamson，

Religion and Social Organization in Central Polynesia（Cambridge, England：Cambridge University Press, 1937）, chap. XI.

⑬ 上文所提及的〈洪範〉，以五行爲九疇之首。五行爲中國古代民間的通俗信仰。故楊慶堃（C. K. Yang）以爲中國古代民衆之相信天命及接受政權受命於天之說，是以陰陽五行的作用爲媒介。參考氏著 *Religion in Chinese Society*（Berkeley and Los Angeles：University of California Press, 1961），PP. 134-136.

⑭《左傳・成公十三年》「國之大事在祀與戎。」見《春秋左傳正義》（北京：中華書局《十三經注疏》本，一九五七），頁一〇八五。

⑮ Clarence B. Day, *Chinese Peasant Cults*（Shanghai: 1940）, P.75; E.R. Hughes and K. Hughes, *Religion in China*（London :Hutchinson's University Library, 1950）, pp.19-20; C. K. Yang, *Religion in Chinese Society*, PP.129-130, 137.

⑯《禮記・中庸》，見《禮記正義》（北京：中華書局《十三經注疏》本，一九五七），頁二一一八。

⑰《禮記・郊特牲》，見《禮記正義》，頁一一八九～一一九四。

⑱ 童書業《春秋史》（濟南：山東大學出版社，一九八七），頁九一，九三。

⑲《山海經》在南、西、北、東、中諸山經之末都列有祭山川的禮數。參考郝懿行《山海經箋疏》（成都：巴蜀書社，一九八五）第一，頁一三b；第二，頁三六a；第三，頁二六a～二六b；第五，頁五三

a。

⑳ Marcel Granet, *Fetes et Chansons Anciennes de la Chine* (Paris : 1929) , chap.4.

㉑ 同⑰，頁一一六九。

㉒ 同⑰，頁一一九六。

㉓ 魯人祭稷爲郊，所以祈農事。參考童書業，前揭書，頁九三。

㉔ 《禮記・禮運》，見《禮記正義》，頁一〇〇七。

㉕ 同上，頁一〇〇七。

㉖ Montesquieu （孟德斯鳩，1689-1755）, *De l' Esprit des Lois* (Paris : Editions Garnier Freres, 1949) ,vol.3,chap. 19, §17; Max Weber, *The Religion of China : Confucianism and Taoism*, tr. and ed. by Hans H. Gerth, (New York :The Free Press,1951) ,PP.142-143。

㉗ J. Milton Yinger, *Religion Society and the Individual* (New York :1957) ,chap.1; Suetoshi Ikeda,"Ancestor Worship and Nature Worship in Ancient China - Especially the Concept of Ti (帝) and Tien (天) ", in *Proceedings of the IX th International Congress for the History of Religions* (Tokyo & Kyoto : Maruzen Co. Ltd.,1958) ,PP.104-105.

㉘ 《孟子・萬章・上》，見朱熹《四書章句集注》（北京：中華書局《新編諸子集成・第一輯》）本，一九八三），頁三〇七～三〇八。

㉙ 拙著〈孔子的宗教精神〉，見《學叢》創刊號（一九八九年十二月），頁六三～六五。

㉚ 《孟子・梁惠王・下》，見《四書章句集注》，頁二二六。

㉛ 《孟子・公孫丑・下》，見《四書章句集注》，頁二五〇。

㉜ 《孟子・盡心・上》，見《四書章句集注》，頁三五〇。

㉝ 《孟子・盡心・上》：「孟子曰……存其心，養其性，所以事天也。殀壽不貳，修身以俟之，所以立命也。」見《四書章句集注》，頁三四九。參考唐君毅《中國哲學原論・原道篇・卷一》（香港：新亞研究所，一九七六），頁二四二～二四七。

㉞ Thomas Kingsmill Abbott（tr.）, Critical Examination of Practical Reason ,in *Kant's Critique of Practical Reason and Other Works on the Theory of Ethics*（London: Longmans, Green & Co., 1948）, pp.220-229; Lewis White Beck（tr.）, Critique of Practical Reason（New York : Liberal Arts Press, 1956）, PP.128-136.

㉟ 《墨子・天志・上、中、下》，見孫詒讓《墨子閒詁》（北京：中華書局《諸子集成》本，一九五七），頁一一八～一三七。

㊱ 《老子道德經・五章》，見五弼《老子注》，（北京：中華書局《諸子集成》本，一九五七），頁三。

㊲ 項退結〈中國宗教意識的若干型態——由天命至吉凶之命〉，見《孔孟學報》第四十五期（一九八三年四月），頁二九二，三〇七。

㊳ 郭沫若《先秦天道觀之進展》（上海：商務印書館，一九三六），頁二四；Herrlee Glessner Creel, The Birth of China, p.374.

㊴ 屈萬里〈罔極解〉，見《大陸雜誌》一卷一期（一九五〇年七月）頁五～六；拙著〈論周初之宗教精神〉，見《新社學報》第五期，頁一一～一三。

㊵ 《左傳・僖公十六年》，見《春秋左傳正義》，卷十四，頁五六一～五六三。

㊶ 同上，頁五六一。

㊷ 《左傳・僖公十七年》，見《春秋左傳正義》，卷十四，頁五六五～五六六。

㊸ 《左傳・僖公二十二年》，見《春秋左傳正義》，卷十五，頁五八九～五九一。

㊹ 《呂氏春秋》（上海：商務印書館《四部叢刊》本），頁九a。

㊺ 同上，卷二十，頁八a。

㊻ 《孟子・萬章・上》，見《四書章句集注》，頁三〇八。

㊼ 《荀子・正名》，見王先謙《荀子集解》（北京：中華書局《諸子集成》本，一九五七），卷十六，頁二七五。

㊽ 《左傳・襄公十八年》，見《春秋左傳正義》，卷三十三，頁一三五六。

㊾ 同上，頁一三五六。

㊿ 周杜銓《談有關師曠的資料三則》，見《音樂研究》第三期（一九八四年），頁一一四～一一五。

51 《嵇康集・聲無哀樂論》，見戴明揚《嵇康集校注》（北京：人民文學出版社，一九六二），頁二一二。

52 《禮記・檀弓・下》，見《禮記正義》，頁四四二。

53 鄭玄對石祁子不沐浴佩玉，說是「心正且知禮。」同上，頁四四二 。

54 《左傳・昭公元年》，見《春秋左傳正義》，頁一六四六～一六五〇。

55 《左傳・昭公十八年》，見《春秋左傳正義》，頁一九五六。

56 童書業《春秋左傳研究》（上海：人民出版社，一九八〇），頁三四八～三四九。

57 《禮記・曲禮・下》，見《禮記正義》，卷四，頁一八六～一八七。

58 郭沫若《先秦天道觀之進展》，頁三六。

59 春秋以來既缺乏獨立與强有力的宗教團體，自社會經濟方面說，它不能引發一種創新的力量，於是影響經濟的發展（Max Weber 論斷這是構成中國不產生資本主義的物質因素之一，見氏前揭書，頁二〇～三二）；自政治方面說，它不能對世俗權力構成制衡，於是使現實政權愈趨於專制化而易於崩潰。

60 這一形而上的實體是從超越形上學（Transcendental Metaphysics）說，而不是從超自然形上學（Praeternatural Metaphysics）說。這兩種形上學的不同 參考方東美（Thome H. Fang）"The World and the Individual in Chinese Metaphysics," in *Creativity in Man and Nature*（Taipei：Linking Publishing Co. Ltd., 1980）,P.29.

61 《左傳・成公十三年》，見《春秋左傳正義》，頁一〇八五。
62 同⑯，卷五十二，頁二一〇一。
63 同⑯，卷五十三，頁二一四〇。
64 同⑯，卷五十三，頁二一四八～二一四九。
65 同⑯，卷五十三，頁二一三七。
66 同⑯，卷五十三，頁二一三五。
67 《周易・泰・象傳》，見《周易正義》，卷二，頁一〇六。
68 《周易・乾・文言》，見《周易正義》，卷一，頁四九～五〇。
69 《論語・憲問》，見《四書章句集注》，卷七，頁一五七。
70 《孟子・盡心・上》，見《四書章句集注》，卷十三，頁三四九。
71 牟宗三《中國哲學的特質》（香港：人生出版社，一九六三），頁五二～六七。
72 一般討論儒教的學者都以為儒者沒有來世的觀念，但他們卻忽視儒者所肯定的人的精神生命的無限與不朽，對人生具有一終極嚮往的宗教情懷。參考 Max Weber，前揭書，頁一四四，一五三。
73 Max Weber，前揭書，頁二二六。
74 同上，頁二三六。
75 《論語・為政》：「子曰：吾十有五而志于學，三十而立，四十而不惑，五十而知天命。」見《四書章句集注》，頁五四。孔子自道十五歲即從事道德實踐，至五十之年才契知天命。他所經歷的艱難奮鬥過程的然可見。

(76) Max Weber, 前揭書，頁二二七。

(77)《荀子・天論》，見《荀子集解》，卷十一，頁二〇五。

(78) 同上，頁二一一。

(79) 後世統治者對人格神的天的崇奉，其實是陰違陽奉而已。統治者既不受法律制裁，又喪失對天的敬畏，於是凡事無所忌憚，而爲所欲爲，終必趨於剛愎專制。另一方面，如果天命的信仰也在民間失落，則天命亦將喪失它維護現實政權的作用。總之，天命的失墜勢將加速專制政權的崩潰。在中國歷史中，周代享祚最長。這與周初確立天命觀以及春秋戰國繼續發展天命的思想和意識形態可能有相當的關係。秦漢以降的各個朝代，享祚都比周朝爲短，這也可能和天喪失它的權威性有關。

(80) 荀子雖然肯認天地是生之本，以爲上事天，下事地，是禮的三本之一（《荀子・禮論》前揭書，卷十三，頁二三三），但荀子卻以祭禮爲「志意思慕之情……其在君子，以爲人道也；其在百姓，以爲鬼事也。」（同上，頁二五〇）。可見在思想層次上，荀子已把宗教性的天道轉爲人道；把祭祀天地視爲人的自然感情之流露，這和荀子在《天論》篇把天看作自然的存在是可以相通的。

《學叢》（新加坡國立大學中文系學報）第二期一九九〇年十二月

肆、春秋戰國秦漢間的禮的宗教思想

一

中國禮制的起源很早，可以上溯到商代。初期的禮大概不離民生日用。

> 夫禮之初，始諸飲食，其燔黍捭豚，汙尊而抔飲，蕢桴而土鼓，猶若可以致其敬於鬼神。①

依據原始的飲食方式，而致敬愛於鬼神，便形成了早期的祭禮。王國維（一八七七～一九二七）說：

> 盛玉以奉神人之器謂之𧯷若豐，推之而奉神人之酒醴亦謂之醴。又推之，而奉神人之事通謂之禮。②

玉用作祭祀的禮器，大概已有五千年歷史。在龍山文化和略晚時期（西元前二四〇〇～一九〇〇年）出現許多玉製禮器如琮、璧、瑗、環、璜等③，這足以反映祭禮出現之早。

祭禮不但在禮中爲最早，而且也最爲重要。

> 禮有五經，莫重於祭。④

祭禮之所以最爲重要，因爲藉此可以致敬愛於鬼神而表現宗教的意義。

二

由於社會日趨繁雜，禮從事神的領域向社會各方面伸展，再配合商代以來的貴族政治結構，於是形成一套貴族的身分等級制度。西周初年，周公在殷禮的基礎上制定周禮，進一步鞏固這套禮制的意識形態。春秋中葉以後，貴族沒落，禮制崩壞⑤，促成諸子百家爭鳴。用現代西方哲學、社會學、史學家的術語來說，這是所謂「哲學的突破」。⑥這一哲學突破，對道、墨兩家而言最爲劇烈。因爲這兩家都激烈批評傳統的禮。至於儒家的孔子則述而不作⑦，以追隨西周傳統而繼承文王、周公爲己任。⑧他大體上繼承西周的禮制傳統。⑨所以春秋中葉的哲學突破在儒家方面最爲溫和⑩，也最爲保守。⑪

孔子雖然繼承西周的禮的傳統，但也對禮作內在的轉化，使它具有新的精神和意義。⑫具體地說，孔子對禮的轉化可從兩方面說。首先，他對維持貴族等級制度的禮所具有的合理成分加以發掘，從而肯定禮的精神。⑬

> 子曰：禮云禮云，玉帛云乎哉？⑭

孔子指出玉帛只是表現禮的形式。他要求人們須體會藏在玉帛後面的禮的精神。

> 林放問禮之本。子曰：大哉問！禮，與其奢也，寧儉；喪，與其易也，寧戚。⑮

春秋以來，一般貴族專事於禮的繁文，而忽略禮的儉樸本質。林放能反省禮的內在精神，所以得到孔子的稱許。

孔子體認禮的本質並加上新的成分。他雖然仍舊主張以禮來維持政治中尊卑貴賤的秩序⑯，但他心目中的尊卑貴賤卻基於尊賢使能的精神。

> 定公問：君使臣，臣事君，如之何？孔子對曰：君使臣以禮，臣事君以忠。⑰

孔子主張君使臣以禮，臣事君以忠，由此所形成的君臣關係，是後來《大學》所說的絜矩關係。⑱這和法家由法與術構成君臣之間的上下隸屬關係有很大的差異。由君臣的絜矩關係即可進而表現尊賢使能的精神。這一精神和傳統的貴族政治由宗法制度所決定的尊卑貴賤不同。宗法制度中的尊尊是尊血統中的尊。⑲這一系統的尊尊應用到政治上，由於過于主觀而難免引生弊病。但孔子把由血統而來的尊尊加以轉化，即在血統的親親之中提出尊賢的原則，而對主觀的親親加以客觀的限制。

> 孔子曰：……天子之元子猶士也。天下無生而貴者也。繼世以立諸侯，象賢也。以官爵人，德之殺也。⑳

鄭玄（127-200）《注》：

> 德大者，爵以大官；德小者，爵以小官。㉑

可見孔子從道德上澈底轉化貴族政治的身分等級。㉒

其次，孔子從道德實踐中，進一步把精神生命凝聚升華為仁與義，並以仁義為禮的精神根據，所以後來的《中庸》引孔子的話，說：

仁者，人也，親親爲大；義者，宜也，尊賢爲大；親親之殺，尊賢之等，禮所生也。㉓

孔子由仁講禮，主要表現在《論語》；至於由義講禮，則主要表現在《春秋》。茲就《論語》所說的仁以體會孔子講禮的新精神。

人而不仁，如禮何？㉔

人如果不把他的精神生命由實踐貫注於禮，禮便喪失它的精神本質。孔子強調仁爲人的精神生命所聚，而且人人可踐仁以使人格完成。㉕於是爲仁所貫注的禮便逐漸突破傳統的禮所含具的階級性。禮爲六藝之一。孔子不但教訓兒子伯魚「不學禮，無以立㉖」，更以六藝教授弟子。他把禮列爲人人可以學習的科目，於是改變了「禮不下庶人」的傳統。㉗

三

自從孔子以仁義轉化傳統的禮，禮便由春秋初期作爲貴族身分制度的意識形態上升到思想的層面。這一思想層面的禮可以「道」概括。它由以孔子爲代表的新興士人階層所繼承並發揚光大。有些學者指出這一繼承道的知識階層有類於西方中古的僧侶和神學家。但又指出孔子以後，百家所持之道大體都以政治社會秩序的重建爲歸宿之地。㉘把從傳統的禮升華而成的道看成人間的性格，大體上固然可以成立，但如果因此忽略它的宗教意義，則有商榷的餘地。㉙

傳統的禮雖經春秋中葉人文精神的洗禮，但未因此喪失它的超越作用。㉚禮的超越作用主要表現在祭祀上。

祭者，志意思慕之情也。悴詭唈僾而不能無時至焉。故人之歡欣和合之時，則夫忠臣孝子亦悴詭而有所至矣。彼其所至者，甚大動也；案屈然已，則其於至意之情者惆然不嗛，其於禮節者闕然不具。故先王案為之立文，尊尊親親之義至矣。故曰：祭者，志意思慕之情也，忠信愛敬之至矣，禮節文貌之盛矣，苟非聖人，莫之能知也。聖人明知之，士君子安行之，官人以為守，百姓以成俗。其在君子，以為人道也；其在百姓，以為鬼事也。㉛

祭祀在聖人、士君子看來，它屬於人道，這是孔子所轉化的思想層面的祭禮。但對官人和百姓來說，它卻屬於鬼事。這是商代以來民間迷信和西周官方所制定關於身分等級制度的結合，它是意識形態層面的祭禮。自春秋中葉以迄戰國、秦漢之間，祭禮的兩個層面同時存在。以下試討論祭禮在思想層面的宗教意義。㉜

四

祭祀之禮大體可分為祭天地、祭先祖及祭君師、聖賢三部分。

禮有三本：天地者，生之本也；先祖者，類之本也；君師者，治之本也。無天地，惡生？無先祖，惡出？無君師，惡治？三者偏亡，焉無安人。故禮，上事天，下事地，尊先祖，而隆君師，是禮之三本也。㉝

如果概括三祭的思想和意識形態兩層面說，則祭祀的作用不外三方面：

祭有祈焉，有報焉，有由辟焉。㉞

祈是祈求福祥，報是報謝，由辟，用爲弭災兵，遠罪疾。㉟但如果只從思想的層面說，則三祭之禮都表現報本返始的宗教意義。茲分別討論祭天、祭地、祭先祖及祭君師、聖賢在思想層面的宗教意義。

㈠

天的內容是生。

天之生此民也，使先知覺後知。㊱

天生民而立之君。㊲

天不止於生民，也生五材。㊳天既爲人與物所由生之本始，則祭天即所以報本返始。

萬物本乎天……郊之祭也，大報本反始也。㊴

祭天以報本爲旨，所奉的犧牲是上天所賜。

昔先王之制禮也，因其財物而致其義焉爾。……是故因天事天。㊵

天子用特牲祭天，所以表達內心之誠。

郊特牲……貴誠之義也。㊶

天子以天所賜之牛祭天，只是表達內心之誠。這和一般宗教常爲贖罪、赦罪而祭祀形成強烈對照。㊷所以祭天報本，便表現積極、超越的宗教情懷，而不重視祭者本身所具有的消極束縛、業障以求解脫

之道。㊸

㈡地的內容是長育持載。

地之所長。㊹

地之所養。㊺

地之所載。㊻

祭地所以報地長育持載之德。

社，所以神地之道也。地載萬物……取財於地……是以……親地也，故教民美報焉。㊼

祭地以美報爲歸，所奉的犧牲也是地之所產。

昔先王之制禮也，因其財物而致其義焉爾……是故因地事地。㊽

以地產祭地，也是報本的意思。依據這一精神，當時的有識之士自然反對人殉的陋俗。

夏，宋公使邾文公用鄫子于次睢之社，欲以屬東夷。司馬子魚曰：古者六畜不相爲用，小事不用大牲，而況敢用人乎？祭祀以爲人也。民，神之主也。用人，其誰饗之？㊾

在祭禮的意識形態的層面，如依《周禮・春官・大宗伯》所說，天神之祭包含昊天上帝、日、月、星、辰，司中、司命、風師、雨師；地祇之祭則包括社稷、五祀、五岳、山、林、川、澤、四方百物。㊿東周以降，天與地合稱，而被視爲萬物之本。

天地絪縕，萬物化醇。[51]

天地之大德曰生。[52]

天地者，生之本也。[53]

天地之道，可一言而盡也：其爲物不貳，則其生物不測。[54]

所以在祭禮的思想層面，上述的兩方面祭祀便可概括爲祭天地之禮。

㈢

先祖是人的生命的來源。祭祖所以返本復始。

因物之精，制爲之極，明命鬼神，以爲黔首則。百家以畏，萬物以服。聖人以是爲未足也，築爲宮室，設爲宗祧，以別親疏遠邇，教民反古復始，不忘其所由也。衆之服自此，故聽且速也……君子反古復始，不忘其所由生也，是以致其敬，發其情，竭力從事，以報其親，不敢弗盡也。[55]

古代以神道設教，使人畏服鬼神。這是禮在意識形態的宗教意義。及聖人設立宗廟以祭祀先祖，教民返古復始，於是祭祖之禮才具有思想層面的宗教意義。祭祖所以返本，它以誠敬爲必要條件。

孝子之祭也，盡其慤而慤焉，盡其信而信焉，盡其敬而敬焉，盡其禮而不過失焉。進退必敬，如親聽命，則或使之也。孝子之祭，可知也：其立之也，敬以詘；其進之也，敬以愉；其薦之也，敬以欲；退而立，如將受命，已徹而退，敬齊之色不絕於面。孝子之祭也，立而不詘，固也；進而不愉，疏也；薦而不欲，不愛也；退立而不如受命，敖也；已徹而退，無敬齊之色，（而）忘本也。如是而祭，失之矣。㊺

以誠敬之心祭祀先祖，即孔子所謂敬鬼神之義。

樊遲問知。子曰：務民之義，敬鬼神而遠之，可謂知矣。㊼

孔子在此處所說的知慧是從道德上說，而非從理智上立論。所謂敬鬼神即教人由道德實踐使精神升華，以便在祭祀時和鬼神感通。㊽

孝子將祭祀，必有齊莊之心以慮事，以具服物，以脩宮室，以治百事。及祭之日，顏色必溫，行必恐，如懼不及愛然。其奠之也，容貌必溫，身必詘，如語焉而未之然。宿者皆出，其立卑靜以正，如將弗見然。及祭之後，陶陶遂遂，如將復入然。是故慤善不違身，耳目不違心，思慮不違親。結諸心，形諸色，而術省之，孝子之志也。㊾

致齊於內，散齊於外，齊之日：思其居處，思其笑語，思其志意，思其所樂，思其所嗜。齊三日，乃見其所爲齊者。祭之日：入室，僾然必有見乎其位，周還出戶，肅然必有聞其容聲；出戶而聽，愾然必有聞乎其嘆息之聲。是故，先王之孝也，色不忘乎目，聲不絕乎耳，心志嗜欲不忘乎心。致愛則存，致慤則著。著存不忘乎心，夫安得不敬乎？㊿

這是孝子在祭祀時由誠敬與先祖感通的心理狀態。《中庸》引孔子的話，對這一心理狀態也有深刻的體會。

子曰：鬼神之爲德，其盛矣乎！視之而弗見，聽之而弗聞，體物而不可遺。使天下之人齊明盛服，以承祭祀。洋洋乎！如在其上，如在其左右。㉑

這也是孔子在《論語》所說「祭如在」的意思。㉒祭祀時，孝子在情志上體會先祖的「如在」，甚至藉祝官祝饗和勸尸進食而從中體會先祖在享用祭品。

孝子將祭……盛服奉承而進之，洞洞乎，屬屬乎，如弗勝，如將失之，其孝敬之心至也與！……。於是，諭其志意，以其慌惚以與神明交，庶或饗之。庶或饗之，孝子之志也。㉓

鄭玄《注》：

諭其志意，謂使祝祝饗及侑尸也，或猶有也，言想見其彷彿來。㉔

孔穎達《疏》：

孝子既薦其祖，於是使其祝官啓告鬼神，曉諭鬼神以志意。……孝子以其思念情深，慌惚似神明交接，庶望神明或來歆饗，故云庶幾神明饗之者，是孝子之志意也。言想見其親彷彿而來也。㉕

孝子感覺先祖在享用祭品，則先祖在祭祀時的「如在」究竟以何種狀態出現？

宰我曰：吾聞鬼神之名，而不知其所謂。子曰：氣也者，神之盛也；魄也者，鬼之盛也；合鬼與神，教之至也。眾生必死，死必歸土：此之謂鬼。骨肉斃于下，陰爲野土：其氣發揚于上，爲昭明、焄蒿、悽愴，此百物之精也，神之著也。[66]

鬼神，陰陽也。……魂氣歸于天，形魄歸于地。故祭，求諸陰陽之義也。[67]

精氣爲物，遊魂爲變，是故知鬼神之情狀。[68]

綜合言之，魂爲陽氣之盛，魄爲陰氣之盛。人死後，魄隨骨肉下降於土；魂則上升於天。[69]按：鬼神的存在不能純從客觀理智去測度、論証，即不能從純理論或依據人的現有經驗去證明。

孔子曰：之死而致死之，不仁而不可爲也；之死而致生之，不知而不可爲也。[70]

鄭玄《注》：

之，往也。死之、生之，謂無知與有知也。爲猶行也。[71]

孔穎達《疏》：

之死而致死之者，之，往也，謂生者以物往送葬於死者而致死之意，謂之無復有知，是不仁之事也，而不可爲也。之死而致生之者，謂以物往送葬者，而雖死猶致生之意，是不知之事而不可爲也。[72]

這說明生者對待死者的態度要介於仁和智之間。如果完全以理智測度死者不再有知，那是不仁；但如果完全以情識推論死者好像生者那樣存在，那是不智。死者作爲鬼神而存在，並沒有一定的存在狀態。鬼神的存在只能藉生者由祭祀之禮去感通才有意義可言。[73]

唯聖人爲能饗帝，孝子爲能饗親。饗者，鄉也。鄉之然後能饗焉，是故孝子臨尸而不怍……齊齊乎其敬也，愉愉乎其忠也，勿勿諸其欲其饗之也。⑭

鄭玄《注》：

言中心鄉之，乃能使其祭見饗也。⑮

孔穎達《疏》：

饗者，鄉也者，言神之所以饗者，由孝子之所歸鄉也。鄉之故然後能使神靈歆饗焉。怍謂顏色不和悅。以祭祀須饗尸，故孝子臨對尸前，不得顏色不和。……愉愉，和悅之貌。忠謂忠心，言孝子顏色愉然和悅盡忠心……勿勿猶勉勉也，言孝子之心與貌勉勉然欲得親之歆饗也。⑯

孝子由饗尸以饗親，中心所向，不但要在外貌上表現和悅，更要在內心上竭盡其誠。

腥肆爓腍祭，豈知神之所饗也？主人自盡其敬而已矣。⑰

唯祭祀之禮，主人自盡焉爾；豈知神之所饗？亦以主人有齊敬之心也。⑱

主人自盡內心的齊敬，而肯定鬼神的來饗，則鬼神的存在，必須主人在祭祀時和鬼神相感通才能獲得肯定。儒家强調主人欲與鬼神相感通，必須在鬼神生時對他們有養志之誠而盡孝，這是上文所說「唯孝子爲能饗親」的精義。也是孔子所說「未能事人，焉能事鬼」⑲的確義。⑳

祭祖之禮的精義在孝子和先祖的精神感通，而不在乎從客觀理智去肯定靈魂的不朽。㉑在這一精神下，祭禮自亦不重視來生之義。㉒一般宗教多講求來生。㉓這也是構成中國宗教精神特殊的一斑。

復次，祭禮講內盡於己之教，自不須向先祖祈求福祥，也不必藉天帝爲自己或爲先祖贖罪。反之，祭祀之時常對先祖之德加以贊美。

夫鼎有銘，銘者，自名也。自名，以稱揚其先祖之美，而明著之後世者也。爲先祖者，莫不有美焉，莫不有惡焉。銘之義，稱美而不稱惡，此孝子孝孫之心也。唯賢者能之。銘者，論譔其先祖之有德善，功烈勳勞慶賞聲名，列於天下，而酌之祭器，自成其名焉，以祀其先祖者也。顯揚先祖，所以崇孝也。㉞

子孫稱美先祖，即不信他們有罪惡或苦業。否則，子孫一念想到先祖帶罪、苦死去，便將削弱對先祖的誠敬之心。這便違反祭祀的精神。中國傳統的祭祀要求祭者對先祖稱美而不稱惡，以孝子孝孫之心爲先祖補過，於是先祖的過失便直下由子孫的誠敬之心超拔。從正面說，子孫稱美先祖，必須有所根據。

古之君子，論譔其先祖之美，而明著之後世者也。以比其身，以重其國家，如此。子孫之守宗廟社稷者，其先祖無美而稱之，是誣也；有善而弗知，不明也；知而弗傳，不仁也。㉟

祭祖稱美先祖之善，本於親親之仁，但贊美祖德不能失實，其中即含有以尊賢的義道限制親親的仁道而具有客觀性。

復次，祭祀先祖而如實地稱美先祖之善，對於先祖的過失則直下由子孫的誠敬之心加以超拔，這是「領惡而全好」的意思。

言游進曰：敢問禮也者，領惡而全好者與？子曰：然。然則何如？子曰：郊社之義，所以仁鬼

神也，嘗禘之禮，所以仁昭穆也。⑻

鄭玄《注》：

領，猶治也。好，善也。仁猶存也。凡存此者所以全善之道也。郊、社、嘗、禘、饋、奠，存死之善者也……郊有后稷，社有句龍。⑻

孔穎達《疏》：

子游問禮之為體，治去惡事而留全善事者與？……仁謂仁恩相存念也。郊社之祭所以存念鬼神也……存留死事之善者。善事既全，則惡事除去也……鬼神，謂人之鬼神，故以后稷、句龍言之。此鬼神與昭穆死喪相類，故知非陰陽七八九六之鬼神也。⑻

據此可知：對人的鬼神（先祖）后稷、句龍的「領惡而全好」須配合祭天（郊）與祭地（社）之義來瞭解。按：商代和西周有先祖賓于上帝與配享上帝之禮。⑻在商人的祭禮中，先王祀先祖，先祖則賓于上帝。先祖與上帝之間可直接相通。西周雖有先祖配享上帝之禮，但先祖與上帝已漸分立。東周以後，則兩者之間幾乎隔絕。⑼這可由禮器的動物紋樣加以證明。⑼商代和西周的先祖賓于上帝與配享上帝之禮，可說是具有政治作用，這屬於意識形態的層面。春秋以降，由於人文精神的躍動，使先祖與上帝之間隔絕，這已上升到思想的層面。但以孔子為代表的儒家，雖然維護先祖配饗上帝的傳統，卻轉化這一傳統的意識形態，而順應時代思潮，從人文的觀點重新認識這一傳統在思想層面的意義。

萬物本乎天，人本乎祖，此所以配上帝也。⑼

鄭玄《注》：

言俱本可以配。[93]

孔穎達《疏》：

此一經論祖配天之義：人本於祖，物本於天，以配本故也。……天爲物本，祖爲王本，祭天以祖配，此所以報謝其本。[94]

以報本聯繫先祖與上帝，正是當時人文思潮。

(四)先祖屬於人鬼。人鬼除先祖外，還有先師、先賢、先聖。先師是學之所本。每一學科各有教官。教官死後即爲該學科之祖而接受祭祀。

凡學，春官釋奠于其先師，秋冬亦如之。[95]

鄭玄《注》：

官謂禮樂詩書之官。《周禮》曰：「凡有道者、有德者使教焉。死則以爲樂祖，祭於瞽宗。」此之謂先師之類也。[96]

孔穎達《疏》：

禮及詩、書之官有道有德者亦使教焉，死則以爲書、禮之祖。後世則亦各祭於其學也。[97]

各學科之祖都有道有德，所以先師也稱爲先賢。

祀先賢於西學，所以教諸侯之德也。⑱

依大學之教，先師、先賢不止教人內聖之德，也教人外王之道。如孔子教弟子以仁，又謂「雍也可使南面。」⑲顧炎武因此說：「師也者所以學爲君。」⑳所以荀子將君師合稱，以爲是治之所本。先師、先賢都是教學的師儒。至於先聖則否，但他的地位卻比先師、先賢爲高。

天子視學，大昕鼓徵，所以警眾也。眾至，然後天子至。乃命有司行事。興秩節，祭先師、先聖焉。⑩

孫詒讓說：

鄭《祭義》注云：「先賢有道德，王所使教國子者。」《文王世子》注又以樂祖釋先師。綜校鄭義，蓋凡師儒之教於學者，通得祀爲樂祖，而以德行爲尤重，故《記》通謂之先師，又謂之先賢。至於前古聖哲，則別祀爲先聖，故《文王世子》注云：「先聖周公若孔子，」明先聖非教學之師儒，蓋視先師爲尤尊矣。⑩

周公爲先聖，他的地位特尊，故於先師、先賢之外，另爲祭祀。《周書・洛誥》：

記功宗以功作元祀。⑩

據近代學者的解釋，這是指周公以營建洛邑之功，受封受本宗之首祀。⑩周公因政治上的功業而成爲聖王，他在事功上的表現正是爲師者講外王的楷模。

概括言之，上述祭祀的基本精神是報本返始。這一精神足以超越現實世界的限制，而表現祭者心靈的超越性和無限性。在祭者的超越和無限的心靈中，便足以保存人文世界一切有價值事物的超越之絕對存在，從而體現天地創造與持載的全功。

五

在一般的宗教中，人們心目中的上帝一面創造世界，一面則保存世界。但上帝這兩方面的活動並不能同時呈現在人們面前。當人們見到萬物的生長，自然感受上帝創造的恩典；一旦看到萬物消失時，人們雖然可以想念它們還以別的形態留存在天地間，但是由萬物所構成的人文人格則已經成爲過去的世界。它已在表面上消失。人們因此不免致憾於上帝。至於上述的祭禮則可彌補這一缺憾。人們在祭祀時，想念先祖、先師、先賢以及先聖的德業，使那些德業再呈現在人的心中，也即再回返天地之內。於是天地所創造、持載的存在和價值便回到人間，也被人們保存。但人們所保存的存在和價值和原爲天地所保存的事物分屬不同的層面。人們所保存的存在和價值，是當人們祭祀時，由一念之誠所當下生發的。這可看作人心的一種創造。所以人們透過祭祀的誠敬，使人心兼具保存和創造一切存在、價值之功，而足以彌補天地的缺憾。此外，當人們祭祀天地時，也可由一念的誠敬，當下持載「天」自强不息地創生萬物以及「地」博厚無疆地保存萬物的活動。於是人心的一念便直接呈現天地創造、持載之全。天地之德和人德互相保合以成太和，使價值的創造和保存達於無窮，以至獲得圓滿和悠久。這一圓滿和悠久的理境固然超越地洋溢在人們的祭祀精神之上，也內在地存在於人當下一念的祭祀精神之中。這便是上述祭禮的既超越又內在的極高明而致博厚的宗教精神。⑩⑤

祭禮所表現的極高明而致博厚的宗教思想，其中迥異於普通宗教而最具特色之處在注重對先祖的祭祀。如上所論述，孔子所代表的儒家轉化以先祖配饗上帝的意識形態，而重新認識它在思想層面的意義。對儒家來說，先祖作爲人神，足以爲生人和上帝的聯繫。如果沒有人神爲媒介，上帝勢必成爲高不可攀的至上神。普通宗教所以尊崇上帝，同時又講先知，或講上帝化身爲人，便是要溝通人神之間的懸隔。但是先知或上帝所化身的人仍然較近於天而遠於人。至於儒家之教，以先祖爲神人間的媒介，則因先祖曾經生爲人，又是祭者生命所由出，先祖死後，魂雖升天，實亦接近於人。於是祭者由祭禮以感通先祖，進而契合於天，便顯得順適切近，直截融宗教的超越精神和人倫道德而爲一。⑩⑥

復次，祭禮所表現極高明而致博厚的宗教精神並不脫離日常生活的軌則。一般宗教多依罪惡與苦業意識而建立它們的教義，這和人們的日常生活軌則沒有必然的直接聯繫。至於祭禮則不依於罪惡的救贖或苦業的解脫，而只基於人們的報本精神：先祖是人的生命之本，先師、先賢、先聖是人所受的人文政教之本，天地是人和萬物所由生之本。如果沒有先祖，則人的生命無所從來；沒有先師、先賢、先聖，則人無從接受人文政教；沒有天地，則人和萬物都失去所依。這些祭祀的對象都和人們的生活有必然直接的聯繫。人們尊敬和崇拜這些對象，純然依於報本的常情而永不斷絕。這一永不斷絕的尊敬和崇拜之情便構成人們日常生活的軌則。將這一軌則形式化，便是祭禮的儀式。可見祭禮的儀式隨著日常生活軌則而開展，而不是在日常生活軌則以外，本身自成一套特定的儀式。這也說明祭禮不須脫離人間以顯示它的宗教超越性。

此外，祭禮之體現爲日常生活軌則，其中除宗教和道德倫理的成分之外，還融入了哲學和政治。這顯示它對人的整體生活的洞見。[107]這一特殊宗教形態和中國古代的宇宙起源論有密切的關係。中國古代宇宙論强調整個宇宙所有的組成部分都屬於同一個有機的整體，而且它們全都以參與者的身分在一個自發自生的生命程序之中互相作用。[108]如上所論，天地之德和人德所形成的太和，顯示天地人三位一體的協調而構成一有機體。這和孔子、孟子以及《中庸》、《易傳》講天人合一的宗教思想正相契合。[109]

【附註】

①《禮記・禮運》，見《禮記正義》（北京：中華書局《十三經注疏》本，一九五七），卷二十一，頁九九二。

②《釋禮》，見《王國維遺書》（上海：古籍書店，一九八三），《觀堂集林》卷六，頁一五。

③鄭振香、陳志達《近年來殷墟新出土的玉器》，見中國社會科學院考古研究所編著《考古學專刊乙種第二〇號・殷墟玉器》（北京：文物出版社，一九八二），頁九。

④《禮記・祭統》，見《禮記正義》，卷四十九，頁一九八五。

⑤ 顧炎武謂：「春秋時猶尊禮重信，而七國則絕不言禮與信矣。」見黃汝成集釋、欒保群、呂宗力校點《日知錄集釋》（石家莊市：花山文藝出版社，一九九〇），卷十三，頁五八五。

⑥ 哲學突破的觀念可溯源於韋伯（Max Weber 1864-1920）有關宗教社會學的論著，參考Talcott Parsons,"Introduction" in Max Weber, *The Sociology of Religion*, tr.by Ephraim Fischoff,（Boston:Beacon Press, 1964）, PP. XXXiii- XXXV, IXii-IXiii. 對此觀念作進一步的闡述，見Talcott Parsons, "The Intellectual : A Social Role Category" in Philip Rieff, ed. *On Intellectuals*（New York : Doudleeay, 一九七〇），頁六～七。按：此一哲學突破不止在中國的春秋戰國時代發生，也在世界各古代文化國發生。

⑦ 《論語・述而》，見朱熹《四書章句集注》（北京：中華書局，一九八三），頁九三。

⑧ 《論語・八佾》：「子曰：周監於二代，郁郁乎文哉！吾從周」。見《四書章句集注》（以下簡稱《集注》）頁六五；《論語・子罕》：「子畏於匡，曰：文王既沒，文不在茲乎？」見《集注》，頁一一〇；《論語・述而》：「子曰：甚矣吾衰也！久矣吾不復夢見周公！」見《集注》，頁九四。

⑨ 胡適謂原始儒者爲殷人後裔，他們保留古服，遵守傳統的禮儀，見所著《說儒》，在《胡適文存》第四集（台北：遠東圖書公司，一九五三），卷一，頁一～一〇三。

⑩ Talcott Parsons,"The Intellectual: A Social Role Category" in Philip Rieff, ed., op. cit.,PP.6-7.

⑪ Benjamin I. Schwartz,"Transcendence in Ancient China",in *Daedlus*（Spring, 1975）, P.64.

⑫ 韋伯指出儒家對流行的官方宗教從哲學上重新解說，而不與它決裂。見所著The Sociology of Religion,

P.121. 他也對孔子定禮樂之事，肯定了一般學者的意見，即：孔子的獨特成就在於，就禮的觀點，將事實作有系統而具實際教訓意義的修正。見所著 *The Religion of China*, tr. & ed. by Hans H. Gerth, (New York : The Free Press, 1964, P.114. 並參考：Herbert Fingarette, *Confucius-The Secular as Sacred* (New York, Hagerstown, San Francisco, London : Harper Torchbooks Harper & Row, 1972)，P.75。徐復觀《周秦漢政治社會結構之研究》（香港：新亞研究所，1972），頁98-100。C.K.Yang.- Religion in Chinese Society (Berkeley & Los Angeles: University of California Press, 1961), P.254.

⑬ 禮的精神便是所謂禮意或禮義。《莊子・大宗師》：「是惡知禮意？」見郭象《莊子注》（上海：中華書局《四部備要》本），卷三，頁一〇b；《禮記・郊特牲》：「禮之所尊，尊其義也。」見《禮記正義》，卷二六，頁一二〇五。

⑭《論語・陽貨》，見《集注》，頁一七八。

⑮《論語・八佾》，見《集注》，頁六二。

⑯《論語・顏淵》：「齊景公問政於孔子。孔子對曰：君君，臣臣，父父，子子。」見《集注》，頁一三六。

⑰《論語・八佾》，見《集注》，頁六六。

⑱《大學・第十章》，見《集注》，頁一〇。

⑲《禮記・大傳》：「牧之野，武王之大事也。既事而退，柴於上帝，祈於社，設奠於牧室。遂率天下諸侯，執豆籩，逡奔走；追王大王亶父、王季歷、文王昌；不以卑臨尊也。上治祖禰，尊尊也。」見《禮

記正義》，卷三四，頁一四七二～一四七三。

⑳《儀禮・士冠禮》，見《儀禮注疏》（北京：中華書局《十三經注疏》本，一九五七），卷三，頁八三～八四；並見《禮記・郊特牲》，在《禮記正義》，卷二六，頁一二〇五。

㉑《儀禮注疏》，卷三，頁八四。

㉒徐復觀，前揭書，頁九九～一〇〇

㉓《中庸・第二十章》，見《集注》，頁二八。

㉔《論語・八佾》，見《集注》，頁六一。

㉕《論語・述而》：「仁遠乎哉，我欲仁，斯仁至矣。」見《集注》，頁一〇〇；又《雍也》：「冉求曰：非不說子之道，力不足也。子曰：力不足者，中道而廢。今女畫。」見《集注》，頁八七。

㉖《論語・季氏》，見《集注》，頁一七四。

㉗《禮記・曲禮・上》：「禮不下庶人」。見《禮記正義》卷三，頁一二六。按：孔子改變禮不下庶人的傳統，或和春秋末期士庶合流有關。參考：余英時《道統與政統之間》，見《士與中國文化》（上海：人民出版社，一九八七），頁八五～八六。

㉘余英時《中國知識分子的古代傳統》，見《士與中國文化》，頁一一八～一一九。

㉙按禮的宗教思想和它的人間性格息息相關。參考C.K.Yang, op. cit. PP.255-257.

㉚德國哲學家雅斯培（Karl Jaspers, 1883-1969）曾提出「超越的突破」（Transcen-dental breakthrough

）的概念。他認爲中國、以色列、希臘和印度在公元前一千年前都同時出現空前的哲人時代或軸心時代，而各有突破性的發展。見所著 *The Great Philosophers*，Vol. I（New York: 1962）；*The Origin and Goal of History*（New Haven and London: Yale University Press, 1965），PP. 1-21. 美國藝術及科學學會於1975年舉辦國際學術會議，集中討論雅斯培的論點。與會者大多認爲凡俗與神聖兩界的分離並導致超越外在的創造實體的出現，如希臘的羅格斯、以色列的上帝、印度的梵天、中國的道、上帝，是軸心文化的共同特色。見 *Daedalus-Wisdom, Revalation and Doubt:Perspec tives on the First Millennium B.C.*（Spring, 1975）專號。其中 B.I. Schwartz指出各文明古國日後的發展容有不同，但它們早期的文化基礎都具有超越性。 見前揭文，頁六八。按：中國古代道統所具有的超越的宗教意義，作者曾發表多篇論文加以討論。見《論周初之宗教精神》，在《新社學報》第五期（一九七三年十二月），頁一～一五；《孔子的宗教精神》，在《學叢》創刊號（一九八九年十二月），頁五九～七〇；《春秋戰國時代的宗教思想和宗教意識形態》，在《學叢》第二期（一九九〇年十二月），頁四九～六九。

㉛ 《荀子・禮論》，見《二十二子》（上海：古籍出版社縮印浙江書局彙刻本，一九八六）卷一三，頁三三七。

㉜ 至於祭禮在意識形態層面的意義，作者曾於他處略爲論及，見拙著《春秋戰國時代的宗教思想和宗教意識形態》在《學叢》第二期，頁五三～五六。本文限於篇幅，對此問題不能詳論，容日後另撰文論之。

㉝《荀子·禮論，見《二十二子》，卷一三，頁三三三。

㉞《禮記·郊特牲》，見《禮記正義》，卷二六，頁一二一四。

㉟鄭玄注，見《禮記正義》，卷二六，頁一二一四。

㊱《孟子·萬章·上》，見《集注》，頁三一〇。

㊲《左傳·襄公十四年》，見《春秋左傳正義》（北京：中華書局《十三經注疏》本，一九五七），卷三二，頁一三一七。

㊳《左傳·襄公二七年》，見《春秋左傳正義》，卷三八，頁一五一九。

㊴《禮記·郊特牲》，見《禮記正義》，卷二六，頁一一九六。

㊵《禮記·禮器》，見《禮記正義》，卷二四，頁一一二三。

㊶《禮記·郊特牲》，見《禮記正義》，卷二五，頁一一四七。

㊷在《舊約》所載猶太人的祭禮中，以贖罪的「全燔祭」爲最重要。見Exodus 29(18)，在 *The New English Bible*（Penguin Books, Oxford University Press，1974），P.93. 它以犧牲代人捨生贖罪。佛教的祭典是醮壇道場或法會，也是以贖罪爲主。道教典禮多襲取佛教，罪惡之義也很深。參考：羅光《中西宗教哲學比較研究》（台北：中央文物供應社，一九八二），頁一五八～一六〇。

㊸《禮記·經解》雖有「禮使人日徙善遠罪」之說（見《禮記正義》卷五〇，頁二〇二七），但此所謂罪，與惡相對，實指過惡爲說，而非普通宗教所說的罪惡。Herbert Fingarette以禮體會孔子在《論語》所

表現的精神生命。他以爲依孔子看來，人的內在衝突、內在危機和罪惡感對人之所以爲人的本質並不重要。人之可貴在能圓滿實現他的生命光輝，即透過禮在平常日用中達到神聖的境地。Fingarette可謂深契於儒家由禮所顯現的宗教精神。參考氏前揭書，頁三六。

㊹《禮記・祭統》，見《禮記正義》，卷四九，頁一九八八。

㊺《禮記・祭義》，見《禮記正義》，卷四八，頁一九六六。

㊻《中庸第三十一章》，見《集注》，頁三八。

㊼《禮記・郊特牲》，見《禮記正義》，卷二五，頁一一六九。

㊽《禮記・禮器》，見《禮記正義》，卷二四，頁一一二二～一一二四。

㊾《左傳・僖公十九年》，見《春秋左傳正義》，卷一四，頁五六九～五七〇。

㊿孫詒讓《周禮正義》（北京：中華書局，一九八七），卷三三，頁一二九六～一三一四。

51《周易・繫辭・下》，見《周易正義》（北京：中華書局《十三經注疏》本，一九五七），卷八，頁四二四。

52同上，頁四一二。

53《荀子・禮論》，見《二十二子》，卷一三，頁三三三。

54《中庸第二十六章》，見《集注》，頁三四。

55《禮記・祭義》，見《禮記正義》，卷四七～四八，頁一九四四～一九五九。

56 同上，卷四七，頁一九三七。
57 《論語・雍也》，見《集注》，頁八九。
58 至於孔子在另一方面教人遠離鬼神，則要求人們不用理智測度鬼神。一般人傾向於用理智測度鬼神。他們祭祀鬼神的目的在祈求福祥。這構成意識形態的民俗迷信。孔子反對這種民俗迷信。參考：拙著《論孔子的宗教精神》，見《學叢》創刊號，頁五九～六一。
59 《禮記・祭義》，見《禮記正義》，卷四八，頁一九七四～一九七五。
60 同上，卷四七，頁一九三〇～一九三一。
61 《中庸・第十六章》，見《集注》，頁二五。
62 《論語・八佾》，見《集注》，頁六四。
63 《禮記・祭義》，見《禮記正義》，卷四七，頁一九三六。
64 同上。
65 同上，頁一九三六～一九三七。
66 同上，頁一九四三～一九四四。
67 《禮記・郊特牲》，見《禮記正義》，卷二六，頁一一一二。
68 《周易・繫辭・上》，見《周易正義》，卷七，頁三六七。
69 關於中國古代魂魄觀念的討論，參考：余英時《中國古代死後世界觀的演變》，見《明報月刊》（一九八三年九月），頁一二～二〇。

⑦⓪《禮記・檀弓・上》，見《禮記正義》，卷八，頁三三八。

⑦①同上。

⑦②同上。

⑦③唐君毅以為鬼神的存在是在祭祀感通中的「純在」。參考氏著《中國哲學原論・原道篇・卷一》（香港：新亞研究所，一九七六）。頁一三四～一四五。

⑦④《禮記・祭義》，見《禮記正義》，卷四七，頁一九三二。

⑦⑤同上。

⑦⑥同上，頁一九三二～一九三三。

⑦⑦《禮記・郊特牲》，見《禮記正義》，卷二六，頁一二一三。

⑦⑧《禮記・檀弓・下》，見《禮記正義》，卷九，頁三九九。

⑦⑨《論語・先進》，見《集注》，頁一二五。

⑧⓪顧炎武《日知錄・鬼神》，見《日知錄集釋》，卷六，頁二九八～二九九。並參考C.K.Yang, OP.cit., PP.45-46.

⑧①墨子斥儒者執無鬼而學祭禮，見《墨子・公孟》，在張純一《墨子集解》（成都：古籍書店據世界書局一九三六年九月初版本影印，一九八八），卷一二，頁四三九。按：墨子此說實不了解儒者言鬼神的義

蘊。

(82) 祭禮雖不重視來生之義，但儒者卻從主體的心性肯定人的精神生命的無限與不朽，從而顯示對人生具有一終極嚮往的宗教情懷。

(83) 如基督教即甚重視來生。《瑪竇福音》第五章第三節至十六節所講八端眞福便建立於來生：以貧、哀、溫良、心淨、義而受迫害、好義、平和、慈悲爲眞福。此八福都以來生的幸福爲說。見 *The New English Bible*, *PP.* 6-7, 至於佛教，則依因緣而講來生。參考：羅光，前揭書，頁一六○～一六三。

(84) 《禮記・祭統》，見《禮記正義》，卷四九，頁二○○三。

(85) 同上，頁二○○五。

(86) 《禮記・仲尼燕居》，見《禮記正義》，卷五○，頁二○三八。

(87) 同上。

(88) 同上，頁二○三九。

(89) 殷代卜辭：「下乙賓于（帝）。貞咸不穷于帝」。見董作賓《殷虛文字乙編・下輯・小屯第二本》（國立中央研究院歷史語言研究所，一九五三），七一九七。又：「……于帝。貞下乙不賓于帝。大甲賓于（帝）」。同上，七四三四。又：「貞大（甲）不賓于帝。賓于帝。」同上，七五四九。金文中的猶鐘也說：「先王其嚴，在帝左右。」見郭沫若《兩周金文辭大系》（臺灣：大通書局影印，一九七一），頁八三。西周的詩也說文王：「在帝左右。」見《詩・文王之什・文王》，在《毛詩正義》（北京：中華書局《十三經注疏》本，一九五七），卷一六，頁一二八九。

⑩ 張光直《商周神話之分類》，見《中央研究院民族學研究所集刊》十四期，一九六二，頁四八～九四。

⑪ 張光直《商周神話與美術中所見人與動物關係之演變》，見《中央研究院民族學研究所集刊》十六期，一九六三，頁一一五～一四六；又《商周青銅器上的動物紋樣》，見《考古與文物》第二期，一九八一，頁五三～六八。

⑫ 《禮記·郊特牲》，見《禮記正義》，卷二六，頁一一九六。

⑬ 同上。

⑭ 同上。

⑮ 《禮記·文王世子》，見《禮記正義》，卷二〇，頁九四一。

⑯ 同上。

⑰ 同上，頁九四二。關於樂祖的祭禮，除上文所見鄭玄引《周禮、春官、大司樂》外，還可參考下列文獻：《國語·周語》：「伶州鳩曰……古之神瞽，考中聲而量之以制，度律均鍾」韋昭注：「神瞽，古樂正，知天道者也。死以爲樂祖，祭於瞽宗，謂之神瞽。」見《國語》（上海：古籍出版社，一九七八），頁一三二～一三三。

⑱ 《禮記·祭義》，見《禮記正義》，卷四八，頁一九七〇。

⑲ 《論語·雍也》，見《集注》，頁八三。

⑩⑩ 《日知錄集釋》，卷六，頁二八九。

⑩① 《禮記・文王世子》，見《禮記正義》，卷二〇，頁九六一。

⑩② 《周禮正義》，卷四二，頁一七二一～一七二二。

⑩③ 《尚書正義》（北京：中華書局《十三經注疏》本，一九五七），卷一五，頁五四一。

⑩④ 黎子耀《洛誥解獻疑》，見《王國維學術研究論集》（上海：華東師範大學出版社，一九八三），頁三六。

⑩⑤ 參考：唐君毅《中國人文精神之發展》（香港：人生出版社，一九五八），頁三九四～三九五。

⑩⑥ 參考：唐君毅《中國哲學原論・原道篇・卷一》，頁一四四～一四五。

⑩⑦ Thome H. Fang, *Creativity in Man and Nature: A Collection of Philosophical Essays* (Taipei: Linking Publishing Co.,Ltd., 1980), P.89; A.W.Levi, *Philosophy and the Modern World* (Bloomington and London:Indiana University Press, 1966), P.483.

⑩⑧ F.F.Mote, *Intellectual Foundations of China* (New York: A.A.Knopf, 1971) ,P. 19.

⑩⑨ 天地人所形成的太和，如果借用西方文藝復興的術語來表示，便是小宇宙和大宇宙的諧和。參考：Harold Jantz, *Goethe's Faust as a Renaissance Man: Parallels and Prototypes* (New Jersey: Princeton University Press, 1951) , PP.131-132.

伍、中國古代的庶民祭禮

一

中國古代禮制以祭禮爲主。其祭祀對象大體分爲天神、地祇和人鬼三類。此三祭之禮具有兩個層面的宗教意義：第一層面是儒家所代表的宗教思想；第二層面是遠古遺留下來的庶民祭禮以及殷周以降官方祭禮所共同反映的宗教意識形態。關於前者，作者已撰文論述。①本文則針對庶民祭禮所反映的宗教意識形態加以論列。

三大祭禮中的官方宗教意識形態原由庶民的宗教意識形態逐漸蛻變而成。但自從官方意識形態定型後，庶民的宗教意識形態反而逐漸湮沒不彰，這是由於官方文獻對庶民的祭禮甚少記載所致。爲彌補這一缺憾，便須由別的途徑以探討古代庶民的宗教意識形態。本文擬利用古代歌謠，並在前人研究的基礎上，對中國古代農事祭典、祖先以及天神之祭的庶民祭禮作一初步研究②，以便探索古代庶民的宗教意識形態。

二—(1)

古代的農事祭禮爲廣義的社祭，它主要是口頭儀式，由此產生即興吟唱的歌謠。在《詩經》的國風中保留了很多這類歌謠。這些歌謠表現了農民在定期集會中所產生的宗教感情。憑借對這些歌謠的研究，將可瞭解古代庶民的農事季節祭禮的根本功能。③

依據國風所保留的材料，特別是在《鄭風》和《陳風》裡，古代庶民農事祭禮標誌農民生活的規律，它是季節性的。祭禮的地點是在靠近山川的原野上。祭禮的組成要素是渡河、登山、採花或伐薪、集薪以及歌謠和舞蹈。其中的歌謠和舞蹈的競賽更是祭禮最重要的部分。《鄭風·褰裳》：

子惠思我，褰裳涉溱。子不我思，豈無他人？狂童之狂也且！子惠思我，褰裳涉洧。子不我思，豈無他士？狂童之狂也且！④

《鄭風·溱洧》：

溱與洧，方渙渙兮。士與女，方秉蕑兮。女曰觀乎，士曰既且。且往觀乎。洧之外，洵訏且樂。維士與女，伊其相謔，贈之以勺藥。⑤

綜合上述兩首詩所述，可知鄭國青年男女在春水高漲的時節，集合在溱水和洧水的合流處參另加祭禮。他們成群結隊到來採摘蘭草，以便驅除邪氣和蟲毒。⑥同時還爲了續魄而招魂。⑦鄭國的婦女相信，蘭草的香氣具有神力，而有助於懷妊。傳說鄭穆公的母親燕姞正是接受了一枝蘭草而懷胎生下穆公。⑧總之，這是祓除和求子的儀禮。在儀禮過程中，青年男女唱歌相互挑戰，然後撩起衣裳渡過洧水。他們各自選擇愛人。在離別之際，還互相贈送勺藥，作爲愛情的紀念和約婚的信物。⑨

在陳國也有類似的儀禮。〈陳風・宛丘〉：

子之湯兮，宛丘之上兮。洵有情兮，而無望兮！坎其擊鼓，宛丘之下。無冬無夏，值其鷺羽。坎其擊缶，宛丘之道。無冬無夏，值其鷺翿。⑩

〈陳風・東門之枌〉：

東門之枌，宛丘之栩。子仲之子，婆娑其下。穀旦于差，南方之原。不績其麻，市也婆娑。穀旦于逝，越以鬷邁。視爾如荍，貽我握椒。⑪

綜合上引兩首詩的敘述，可知陳國的青年男女在宛丘之上參與祭禮。⑫〈東門之枌〉具體指出陳國的庶民是在宛丘的櫟（栩）樹下舉行祭禮。⑬按古代常以樹代表社⑭，所以這很可能是陳國庶民的社祭。陳國的庶民在樂器伴奏下，一面搖著扇子和白鷺的羽毛，一面唱著歌。他們以歌謠互相問訊，有時組成求雨的歌舞合唱隊。⑮青年男女在對歌時，男子贈送女子香椒⑯，以傾訴愛慕。在此一場合中，性的儀禮也混入其中。此顯然受到大姬的影響。大姬無子，且好祭禮⑰，則於禮儀中求子，實爲自然之事。陳國的婦女於祭禮中也仿效大姬祈求懷妊。所以在祭儀中，男子贈送散著香氣的種子給女子，這不但是示愛，也帶有多產的祝愿。⑱它和鄭國婦女採蘭求子的目的正相一致。⑲

上述鄭國和陳國保留下來的庶民對山川季節的祭禮，都把大地視爲萬物的給與者而爲生命的源泉。由此引申，則大地農作物的播種、豐收便和婦女的繁殖具有密切的關係。所以在庶民的山川祭儀中，約婚求子都訂在春秋節日前後舉行。⑳庶民山川祭禮中的約婚、求子、祓除、祈雨以及求豐年等儀禮，正是後來官方的地祇（社稷、五祀、和五岳）與祖先之祭的原型。

古代庶民祭禮和農業生產的密切關係尤可在〈豳風・七月〉一詩中窺見：

> 三之日于耜，四之日舉趾。同我婦子，饁彼南畝，田畯至喜。㉑

此描述庶民在春季時所行之籍禮。饁是饋神，田畯即農神。㉒詩中描寫農人全家當春耕開始時，在南畝祭祀農神，意想農神甚爲歡喜。此實表現一純樸而虔誠的宗教意識。

此外，〈七月〉之詩也描寫庶民在歲終所舉行的感謝和退藏的祭禮。

> 十月蟋蟀入我床下。穹窒熏鼠，塞向墐户。嗟我婦子，曰爲改歲，入此室處。……十月穫稻，爲此春酒，以介眉壽。……十月納禾稼……十月滌場。朋酒斯饗，曰殺羔羊。躋彼公堂，稱彼兕觥，萬壽無疆！㉓

詩中描述十月年終，收穫完畢，庶民便到公堂參加祭禮。㉔這是送歲的感謝祭禮，同時也是敬老的祭禮。㉕老年人畢生疲於農事生產而獲得尊敬以息勞，其他物類也在年終之時退藏於密，詩中所謂：「十月蟋蟀入我床下」，便可見一斑。總之，詩中所描寫的是一種感謝和閉塞的祭禮。㉖如果把這一祭禮和〈月令〉以及《禮記・郊特牲》相比較，則不難看出它是後來官方八臘祭禮（廣義的社祭）的原型。

二—(2)

祖先崇拜和親族制的神話傳說有密切的關係。上文論述庶民的山川祭禮，只說到各國民衆到特定的山川參加祭祀活動。其實，這些特定的神聖山川和他們的祖先有關。依據古代神話傳說，許多部族的名稱都起源于山岳或河川。㉗此不但表示山川爲某部族的居住地，而且也顯示山川與某部族之間的精神聯繫。例如黃帝和炎帝本爲同母兄弟，但因分別受到兩條不同河流的影響，因此成爲相敵對的兩個部落的祖先。㉘祖先的特質既由山川得來，則祖先便可以山川爲姓。由此進一步發展，則人民不但視神聖的山川爲實現他們部族特質的祖地，而且在祖地舉行祭祀的時候，人民還相信能藉祖先的力量，以獲得婦女懷孕的保證。上文論述鄭國的庶民山川祭禮，提及鄭國婦女採蘭招魂，以求妊娠。如配合《左傳》所載鄭穆公誕生和逝世的過程，則對鄭人此一信仰更有具體的瞭解。

初，鄭文公有賤妾曰燕姞，夢天使與己蘭，曰：余爲伯儵。余，而祖也，以是爲而子。以蘭有國香，人服媚之，如是。既而文公見之，與之蘭而御之。辭曰：妾不才，幸而有子，將不信，敢徵蘭乎？公曰：諾！生穆公，名之曰蘭。……穆公有疾，曰：蘭死，吾其死乎？吾所以生也。刈蘭，而卒。㉙

此故事說明祖先之靈與蘭和婦女懷孕生子有關，則鄭國婦女自有理由相信採摘祖地所生長的蘭，即可招魂續魄，終於藉助祖先之力，達到懷孕的願望。神聖的山川既由於祖先的力量而繁殖部族，庶民因此把神聖的山川視爲祖地，同時在祖地舉行祭祖的儀禮。㉚庶民的祖祭，原來只是向祖先祈求子嗣，以便親族集團得以繁殖；但如上文所引鄭穆公誕生的故事，卻同時顯示穆公是鄭國的當然國君。此即說明祖先不只保證親族集團的繁殖，同時更維護親族集團所建立的政權。由此可見這時祖先崇拜所產生的宗教意義，已逐漸由庶民的意識形態演變爲官方的意識形態。

二—(3)

庶民的天神祭禮，在古代中原各國的官方文獻和民間歌謠都很少記述，只在南方楚國的民歌中，可以找到一些線索。《楚辭．九歌．東皇太一》：

> 吉日兮辰良，穆將愉兮上皇。撫長劍兮玉珥，璆鏘鳴兮琳琅。瑤席兮玉瑱，盍將把兮瓊芳；蕙肴蒸兮蘭藉，奠桂酒兮椒漿。揚枹兮拊鼓，疏緩節兮安歌，陳竽瑟兮浩倡。靈偃蹇兮姣服，芳菲菲兮滿堂，五音紛兮繁會，君欣欣兮樂康。㉛

王逸謂屈原放逐，竄伏於南郢之邑、沅湘之間，出見俗人祭祀之禮，其詞鄙陋，因爲作〈九歌〉之曲。㉜依此說，則〈九歌〉中的〈東皇太一〉可視爲經屈原改編的南方庶民祭祀太一的樂歌。太一即上皇，疑即楚人的上帝。㉝〈東皇太一〉並無描寫上帝的形象，也未歌頌上帝的功德，只對祭祀場面極力渲染，以表現敬神、娛神的誠意，而達到祈福的目的。雖然篇中對祈福的內容未具體說明，但從所使用玉鎮爲祭器來看㉞，可知其目的在祈嘉穀，使無水旱之災。㉟此與在官方祭典中，爲天子所壟斷的天神上帝之祭，其目的在祈天降命，則顯然有所不同。

〈九歌〉中的〈東君〉是祭日神的歌辭。㊱

暾將出兮東方，照吾檻兮扶桑。撫余馬兮安驅，夜皎皎兮既明。駕龍輈兮乘雷，載雲旗兮委蛇。長太息兮將上，心低佪兮顧懷，羌聲色兮娛人，觀者憺兮忘歸。縆瑟兮交鼓，簫鐘兮瑤簴。鳴鯱兮吹竽，思靈保兮賢姱。翾飛兮翠曾，展詩兮會舞。應律兮合節，靈之來兮蔽日。青雲衣兮白霓裳，舉長矢兮射天狼。操余弧兮反淪降，援北斗兮酌桂漿。撰余轡兮高駝翔，杳冥冥兮以東行。㊲

〈九歌〉中對祭祀場面的描寫，除〈東皇太一〉外，要以〈東君〉最爲熱鬧。可見在楚人心目中，日神的地位是僅次於天神的上帝。〈東君〉所塑造日神的形象，從露出光明到逐漸升起，從麗影當空到金烏西墜，始終健行不息，予人以光明、永恆的美感。人民時刻感受日光的恩賜，因而對日神作出熱烈的禮贊。

〈九歌〉中的〈大司命〉和〈少司命〉則是祭祀司命的歌辭。司命原本是天神。《禮記・祭法》：

王爲群姓立七祀，曰司命、曰中霤、曰國門、曰國行、曰泰厲、曰户、曰灶，王自爲立七祀。諸侯爲國立五祀，曰司命、曰中霤、曰國門、曰國行、曰公厲，諸侯自爲立五祀。㊳

鄭玄謂「此非大神所祈報大事者也。小神居人之間，司察小過，作譴告者爾」。㊴司命雖是督察人間小過的小神，但畢竟是居七祀、五祀之首的天神。發展到戰國屈原時代，司命神職在南方楚地已經演化爲大司命和少（小）司命，並且敷之以司人之生死和子嗣之職。㊵少司命大概是天神司命派在地上

督察人間小過錯的小天神。㊶

如與祈報大事的大神相較，則無論少司命或大司命都只能視爲小神。大、少司命的神職雖小，但畢竟是天神。如依周代祭法，庶民不得參與祭祀司命的活動。但遇疾病時，可偶一行之。㊷

此外，〈九歌〉還有祭雲神的歌辭。㊸雲神也是天神之一，茲從略。

二—(4)

庶民的地祇、祖先、天神祭禮，最初並無固定的目的，但它的活動的整體對許多目的都有效應。如在山川季節祭禮中（包括地祇、祖先之祭禮），其中渡河的儀禮有降雨的功能，也有祓除和招魂的功能。在祭儀中所採摘的香花有消毒清潔的作用，它同時也是戀愛和魅力的象徵，因而也具有保證生育的作用。至於楚國庶民祭祀天神上帝（太一），其目的也只是廣泛地與農業生產相聯繫。庶民在參加各種祭禮的時候，都相信他們所祭祀的山川、祖先和天神具有各種力量。他們希望從山川、祖先和天神所發揮的各種力量中獲得各種的恩惠，以至於最終能與地祇、祖先、天神的力量融化爲一體。所以在神聖祭儀舉行的時候，庶民對地祇、祖先和天神敬畏的宗教意識便油然而生。

三

以上從各地歌謠勾勒出古代庶民三祭之禮的輪廓。古代庶民祭禮，是後來官方祭禮的原型，可惜上述歌謠所保留的庶民祭禮只是一些片斷。自從周代統治者於周初確定官方的三祭之禮後，各地區的庶民雖還流傳古代所遺流下來的不完整的三祭之禮，但這些庶民祭禮並未獲得官方的認可。這時得到官方認許的庶民祭禮，只有在民社中祭祀雜神，以及在家中祭祀祖先和戶神或灶神而已。《禮記・祭法》：

大夫以下成群立社，曰置社。㊹

鄭玄《注》：

大夫不得特立社，與民族居，百家以上則共立一社。㊺

孔穎達《疏》：

大夫以下，謂包士庶。成群聚而居，其群衆滿百家以上得立社。爲衆特置，故曰置社。……謂大夫至庶人等共在一處也……社以爲民，故與民居百家以上則可以立社。㊻

黃以周謂「大夫以下」的「以」字是「與」的意思。他說：

與下成群始得立，則社屬民衆，不屬大夫。㊼

據上述諸家之說，知大夫與庶民等聚族而居，可立置社，即民社。此族人所立之社，以脯爲祭祀的對象。《周禮・地官司徒・州長》：

凡州之大祭祀、大喪，皆蒞其事。㊽

賈公彥《疏》：

大祭祀謂州社稷……又對黨祭禜，族祭脯，故此特言州社也。㊾

又《周禮・地官司徒・族師》：

族師各掌其族之戒令政事。月吉，則屬民而讀邦法，書其孝弟睦婣有學者。春秋祭酺，亦如之。㊿

鄭玄《注》：

酺者，爲人物災害之神也，故書酺或爲步。㊿①

酺（脯）爲人物災害之神，可見祭酺爲庶民祭禮的一種祓除禮儀。

社的原義是土地之主。社祭所以祭地祇。古代庶民的山川季節之祭即和社祭有密切關係，因爲山川屬土的緣故。但據周代官方祭典的規定，庶民在社內只可祭災害的雜神，而不可祭地祇。這是由於社既爲主地的象徵，則在周代封建制度下，大夫以上才有封地，故大夫以上才有資格祭社。周代庶民雖有民社（置社、里社或書社），這種社固與官社不同，但民社既由族師主持，擔任族師的士，原是從庶人中選舉出來，故族士又稱庶士。按族師這時已成爲周王朝官僚系統中「士」一級的下級官吏。他雖然與庶人有密切的關係，但畢竟同時代表封建領主貴族統治利益的一面。㊿②就此言之，周代的民社已逐漸成爲周代國家政權化的產物。

周代庶民所祭祀的雜神除災害之神外，還包括戶神或灶神。《禮記・祭法》：

庶士、庶人立一祀：或立户，或立灶。㊿③

總之，自官方三祭確定後，庶民獲得官方承認的宗教活動只局限於雜神和祖宗神的祭拜[54]，這是由於周初以降，神權已政權化的緣故。

【附註】

① 參考拙著《春秋戰國時代的宗教思想和宗教意識形態》見《學叢》第二期（一九九〇年十二月），頁四九～六九。

② 法國學者格拉耐（Marcel Granet 1884-1940）在這方面的研究甚爲卓著。他的代表作爲 *Fetes et Chansons anciénnes de la Chine*, 有 E. D. Edwards 的英譯本 *Festivals and Songs of Ancient China*（London: 1932），此外，還有內田智雄的日譯本（東京：弘文堂書房，一九三八）。

③ 參考 E.D. Edwards trans. *Festivals and Songs of Ancient China*, P.7.

④ 見《毛詩正義》（北京：中華書局《十三經注疏》本，一九五七），頁四二〇～四二一。

⑤ 同上，頁四四二。

⑥ 《康熙字典》釋蕑字，謂：「都梁縣有山，山下有水清泚，其中生蘭草，名都梁香，因山爲號。其物可殺虫毒除不祥。故鄭人方春之月，於溱洧之上，士女相與秉蕑而祓除。」

⑦ 《太平御覽》卷八八六引《韓詩外傳》：「溱與洧，說人也。鄭國之俗，二月上巳之日，於兩水之上，招魂續魄，祓除不祥。」（北京：中華書局影印本，一九六三）頁三九三五。

⑧ 見《左傳・宣公三年》（北京：中華書局《十三經注疏》本，一九五七），頁八六八～八六九。

⑨ 勺藥，又名辛夷。此處指的是草勺藥，不是花如牡丹的木勺藥。此草又名江離，古時情人離別時互贈此草，以寄託離情。又古代勺與約同聲，勺藥是雙聲詞，情人藉此表示愛情和結良約的意思。參考馬瑞辰《毛詩傳箋通釋》（上海：中華書局《四部備要》本），八，頁二六b～二七b。

⑩ 見《毛詩正義》，頁六〇七～六〇九。

⑪ 同上，頁六一〇～六一一。

⑫ 宛丘在陳國都城（今河南淮陽縣）東南。陳奐謂：「陳有宛丘，猶之鄭有洧淵，皆是國人遊觀之所處。」見《詩毛氏傳疏》（臺北：世界書局，一九五七），卷一二，頁八一。

⑬ 鄭玄注：「栩，杼也」，見《毛詩正義》，頁六一〇。《爾雅・釋木》：「栩，杼。」注：「柞樹。」見《爾雅注疏》（北京：中華書局《十三經注疏》本，一九五七）卷九，頁三七九。《植物名實圖考》謂栩、柞、柔與櫟四者異名同物。

⑭ 《周禮・地官司徒・大司徒》：「設其社稷之壝而樹之田主，各以其野之所宜木，遂以名其社與其野。」見孫詒讓《周禮正義》（北京：中華書局，一九八七），卷十八，頁六九二。

⑮ 「穀旦于差」、「穀旦于逝」，馬瑞辰謂差、逝爲求雨祈禱聲。見《毛詩傳箋通釋》十三。頁三b。

⑯ 椒，花椒。王逸《離騷注》：「椒，香木也。」見洪興祖《楚辭補注》（北京：中華書局用四部備要據汲古閣宋刻洪本排校紙型重印，一九五八），頁一五。

⑰《漢書・地理志》：「周武王封舜後嬀滿於陳，是爲胡公，妻以元女大姬。婦人尊貴，好祭祀，用史巫，故其俗巫鬼。陳詩曰：『坎其擊鼓，宛丘之下，亡冬亡夏，值其鷺羽。』又曰：『東門之枌，宛丘之栩，子仲之子，婆娑其下。』此其風也。」（見商務印書館縮印百衲本，一九五八），二八下，頁一六二六。鄭玄《詩譜》：「大姬無子，好巫覡禱祈，鬼神歌舞之樂，民俗化而爲之。」

⑱參考E.D. Edwards trans.: 前揭書，頁一五四～一五五。

⑲〈宛丘〉和〈東門之枌〉所敘述的陳國山川之祭，和〈褰裳〉、〈溱洧〉所描寫的鄭國山川之祭一樣，都是庶民的祭禮。但〈東門之枌〉所提到的「原」和「子仲」，歷來學者有不同的解釋。如依據古代注釋家的注解，將子仲和原視爲歷史上的有名人物，如《毛傳》謂子仲爲陳大夫氏，原則爲大夫氏，（見《毛詩正義》卷七，頁六一〇。）則本詩所敘述的儀禮便爲官方祭禮。但近代學者多認爲「原」非姓氏，而爲普通平原之義。（參考E.D. Edwards trans.前揭書，頁117。）本文採取近代學者的意見，以「原」爲平原，「子仲」非大夫氏，故認爲本詩所敘述的儀禮實爲庶民的祭禮。

⑳參考E.R.Hughes and K. Hughes, *Religion in China*（London: Hutchinson's University Library, 1950）, P.15。

㉑見《毛詩正義》，卷八，頁六七六。

㉒參考姚小鷗〈田畯農神考〉，見《古典文學論叢》第四輯，（濟南：齊魯書社，一九八六），頁二〇～二七。

㉓ 見《毛詩正義》卷八，頁六八六～六九一。

㉔ 「躋彼公堂」，《毛傳》：「公堂，學校也。」（見《毛詩正義》，卷八，頁六九一）。按古代學校又稱鄉學，不但用於教育，也是公衆集會，舉行儀禮的場所。

㉕ 「爲此春酒，以介眉壽」，《鄭箋》：「介，助也。」（見《毛詩正義》，卷八，頁六八八）。按人老時，眉毛變長，稱爲秀眉，故謂長壽爲眉壽。酒能活血，有助於長壽。

㉖ 參考E.D. Edwards trans., 前揭書，頁一六八～一八〇。

㉗ 《史記・三皇本紀》：「神農本起烈山，故左氏稱烈山氏之子曰杜。」（見上海：商務印書館縮印百衲本，頁二七。）又《夏本紀》：「禹曰：予辛壬娶塗山，癸甲生啓。……啓……其母塗山氏之女也。」（頁五三～五四。）

㉘ 《國語・晉語四》「昔少典娶于有蟜氏，生黃帝、炎帝。黃帝以姬水成，炎帝以姜水成。成而異德，故黃帝爲姬，炎帝爲姜，二帝用師以相濟也，異德之故也。」（見：上海：上海古籍出版社，一九七八，卷十，頁三五六。）

㉙ 見《左傳・宣公三年》，卷二一，頁八六八～八六九。

㉚ 在龍山文化時期及殷商時代，祖祭和社祭可能在同一地點舉行。（參考張光直〈中國遠古時代儀式生活的若干資料〉，見中央研究院《民族學研究所集刊》第九期，一九六〇年春季，頁二五五～二五八。）商代以後，祖社雖然分立，但是左祖右社，常在一地。參考凌純聲〈中國古代社之源流〉，見中央研究

院《民族學研究所集刊》第十七期（一九六四年春季），頁三〇。

㉛ 見洪興祖《楚辭補注》，卷二，頁九七～一〇〇。

㉜ 同上，頁九六～九七。

㉝ 參考《文選・李善注》（臺北：藝文印書館影印胡克家仿宋本，一九五七），頁三〇六；聞一多《神話與詩》，見《聞一多全集》（上海：開明書店，一九四八）（甲），頁二六七；文崇一〈九歌中的上帝與自然神〉，見中央研究院《民族學研究所集刊》第十七期（一九六四年春季），頁四九～五九。近人葉舒憲考證太一爲太陽神，見《中國神話哲學》（中國社會科學出版社，一九九二），頁一一。又近人譚介甫謂上皇爲楚武王，見《屈賦新編》（北京：中華書局，一九七八），頁二八五。按當以太一（上皇）指上帝之說爲是。

㉞ 據劉師培、聞一多二氏的考證，玉瑱應作「玉鎭」。參考劉師培《楚辭考異》，見《中國學報》第三冊（北京：一九一六），頁一；聞一多《楚辭校補》，（重慶：一九四二），頁三六。

㉟ 參考《國語・楚語・下》卷一八，頁五八一。

㊱ 參考朱熹《楚辭集注》（上海：上海古籍出版社，一九七九），卷二，頁四二。

㊲ 見洪興祖《楚辭補注》，卷二，頁一二五～一二九。

㊳ 見《禮記正義》（北京：中華書局《十三經注疏》本，一九五七），卷四六，頁一九一六。

㊴ 同上，頁一九一六。

㊵《大司命》：「紛總總兮九州，何壽夭兮在予」。見洪興祖《楚辭補注》，卷二，頁一一八。〈少司命〉：「夫人自有兮美子，蓀何以兮愁苦。」見《楚辭補注》卷二，頁一二二。

㊶參考吳澤《〈周禮〉司命、灶神與近世東廚司命新論—讀王國維〈東山雜記〉》，見《王國維學術研究論集》第二輯（上海：華東師範大學出版社，一九八七），頁一三八～一三九。

㊷庶民遇疾病之時，則可偶而禱于五祀。這是〈士喪禮〉所規定的。王國維《東山雜記》：「據《祭法》庶士人立一祀：或立戶、或立灶，無祀司命之法，唯〈士喪禮〉祀之，病疾禱于五祀，則有時一用事而已。」轉引自吳澤，前揭書，頁一四一。

㊸見洪興祖《楚辭補注》，卷二，頁一〇一～一〇三。

㊹見《禮記正義》，頁一九一五。

㊺同上。

㊻同上，頁一九一六。

㊼見《禮記通考》，卷一三。

㊽見《周禮注疏》（北京：中華書局《十三經注疏本》，一九五七），卷一二，頁四三二。

㊾同上。

㊿同上書，頁四三七。

(51)同上。

52 參考吳澤《兩周時代的社神崇拜和社祀制度研究—讀王國維〈殷卜辭中所見先公先王考〉》，前揭書，頁一二〇。

53 見《禮記正義》，卷四六，頁一九一六。

54 《漢書・郊祀志》：「大夫祭門、戶、井、灶、中霤五祀，士庶人祖考而已。」（見商務印書館縮印百衲本，二五上，頁一四七九）。又《國語・楚語・下》：「天子遍祀群神品物，諸侯祀天地、三辰及其土之山川，卿、大夫祀其禮，士、庶人不過其祖。」（見卷一八，頁五六七。）

《亞洲文明與青銅文化國際學術會議》所呈論文　一九九二年十月

陸、論孔子的宗教精神

孔子的學說中具有宗教的精神，但和一般的宗教形態不同。以下試先祛除一般人對這問題的誤解，再具體論證孔子所具有的宗教精神。

一、孔子的教化不是宗教的商榷

近人說孔子的教化不是宗教，所持的理由有二，第一是由於孔子不談生死鬼神，第二是孔子重理性而不獨斷。①茲先討論第一個理據。

孔子曾經答覆子路問服事鬼神的方法，說：「未能事人，焉能事鬼？」又答覆子路問死的問題時，說：「未知生，焉知死？」②這些議論並不意味孔子對鬼神和死的問題漠不關心，只是表示把服事鬼神和照顧人民生活這兩方面相比較，孔子偏重對人民生活的照顧；同樣的道理，把生和死相比較，孔子偏重生的道理。其實，孔子並非絕對不談鬼神和死的問題。孔子在答覆樊遲問怎麼樣才算智慧時，說：「務民之義，敬鬼神而遠之，可謂知矣。」③孔子在這裡所說的智慧是從道德上來說的，而不是從理智上立論。所謂敬鬼神便是教人由道德實踐使精神升華，以便和鬼神契接。孔子根據這種精神而肯定祭祀。「祭如在，祭神如神在。子曰：吾不與祭，如不祭。」④所謂祭，指祭祖先。至於祭神，則指祭外神。孔子祭祀先祖和外神的時候，好像先祖和外神在那裡。這正是說明要人經由道德實踐以升華精神生命，而達到和先祖、外神契接的境界。

至於孔子在另一方面要人遠離鬼神，那是教人不要用理智去測度鬼神。一般人傾向于用理智去測度鬼神，他們祭祀鬼神的目的在于祈求福祥。這構成了迷信的民俗。孔子反對這種迷信的民俗，所以當王孫賈向孔子請教當時民間的迷信：與其巴結房屋西南角的奧神，不如巴結廚房的灶神時，孔子便反對這一民俗，說：「獲罪於天，無所禱也。」⑤孔子以爲做人應該以實踐道德爲根本。人在實踐道德以後，對于做錯的事表示後悔而向善，這時候如果從事一種輕鬆的祈禱，那是無傷大雅的。但是，人如果不從事道德修養，做了錯事不但不悔過向善，反想祈禱神祇赦罪；或憑空要求福祥，這些作爲都是沒有用的。所以當孔子犯了重病，子路請求爲孔子祈禱時，孔子便不相信這一套。但當子路堅持要祈禱時，孔子只好輕鬆地說：我早就祈禱過了。⑥至于因病而祈禱病快點好，卻屬于迷信，那是孔子所反對的。《論語》說孔子不談怪異、勇力、叛亂和鬼神⑦，正說明孔子不用理智測度鬼神，也不相信民間對鬼神的迷信。

由以上的論述，可知孔子對鬼的態度分兩方面：一方面從道德實踐以使精神升華，由是在情志上和鬼神契接；另一方面則不用理智測度鬼神，于是在理智上否定對鬼神的迷信。

就孔子反對迷信鬼神這方面說，我們不能因此論斷孔子缺少宗教的意識。世界的偉大宗教如佛教和基督教在思想層次上也是反對迷信鬼神的。譬如佛教講「無我」。「我」便是指鬼。⑧至于基督教，則以上帝而不以鬼神爲信仰的中心。可見佛教和基督教都不迷信鬼神，但都不因此妨礙它們成爲偉大的宗教。

盡管孔子在情志上肯定對鬼神的祭祀，但他在宗教上所信仰的主體並不是鬼神。孔子這種思想和古來的傳統有密切的關係。⑨鬼神既然不是孔子在宗教上所信仰的主體，那麼，我們便不能從鬼神方面來論衡孔子的宗教精神。

至于從孔子重理性而不獨斷來論定孔子的教化不是宗教，這也須從長商榷。要討論這個問題，須研究宗教演化的過程。據英國哲學家A.N.Whitehead（1861-1947）的研究，宗教的演化可以分爲四個層級，即：宗教行爲（Ritual），宗教情感（Emotion），宗教信仰（Belief），宗教思想（Rationalization or Rationalism）。⑩世界高級的宗教都發展到思想的層級。宗教的本質固然在于信仰，但如果只恃信仰而未發展到思想的層級，該宗教便不免陷于迷信而難以久存。從人類宗教發展史來看，那些沒有發展到思想層級的宗教往往不能久持于理性的人間世界。基督教在中世紀以後，由于受到科學與人文精神的沖擊，迅速地發展它的思想層面。後來經過宗教改革，各派的信仰層面雖然相同，在思想層面上卻有分歧。但思想層面的分歧並不妨礙基督教各派綿延到現在。話說回來，孔子的教化的確注重理性的道德。依上來的分析，這正是使孔子教化成爲高級宗教的條件之一，又豈可反過來說孔子的教化因爲注重理性而成爲非宗教呢？至於說到獨斷和宗教的關係，那也不可以一概而論。譬如佛教在開始創教的時候，便沒有宣傳獨斷的教義。佛主要求他的聽眾根據各自的經驗去驗證他所說的眞實性，不要盲從權威或或傳統。總之，既然不是所有的宗教都是獨斷的，而且理性的思想層面是宗教發展的最後階段，那麼，說孔子注重理性而不獨斷是缺少宗教意識，這一推論便不成立。

二、由孔子的天命觀探討孔子的宗教精神

上文說孔子在宗教上信仰的主體不是鬼神。那麼，孔子信仰的主體是甚麼呢？可以說，孔子信仰的主體是天或上帝。孔子認爲天是人格神，像人一樣有意志活動。孔子周遊列國，到了衛國。按照當時的禮節，他應該去拜會衛靈公的夫人南子。⑪子路不高興。孔子便對天發誓說：我如果做了不對的事，天厭棄我罷！⑫天作爲人格神所具有的意志活動足以對人加以限制，這便是命。孔子的弟子伯牛生了一種叫癩的惡疾，孔子去慰問他，從窗口執著他的手，說：「亡之，命矣夫！斯人也而有斯疾也！斯人也而有斯疾也！」⑬按伯牛在孔門中以德行著稱。他的地位僅次于顏淵和閔子騫。據邢昺的《疏》，孔子慨嘆伯牛「行善遇凶，非人所召，故歸之於命，言天命矣夫！」⑭孔子另一個高足弟子顏淵在孔門中不但好學，而且居于德行之首，可是不幸短命而死。孔子無可奈何地慨嘆道：「天喪予！天喪予！」⑮把這兩章聯繫起來看，便可明顯地看出孔子認爲道德實踐和幸福的不一致是由于天之所命。天命限制人以致人的德福不相稱，這必須賴人踐履道德才能切實體會。否則，這種思想便難免流于宿命論。孔子教化的重點在使人實踐道德，做心靈所安的事。當我們在做心靈所安的事時，如果

碰到了無可奈何的限制，如得不到高官、財富、長壽或感資稟不如人，我們都加以承受。于是，這些限制反而會激勵我們的精神，使我們雖然歷盡艱難，處在生死呼吸的境地還是做心靈所安的事；不會因爲受限制而停止向善的意志，這便等於天用限制（命）來磨練而玉成我們的人格。人如果切實地體會得外在的一切阻礙都是天要玉成我們進德修業而加給我們的磨練，那麼，外在的境遇對進德修業的人來說，便失去順逆的意義；順境固然是順，逆境也是順。所以不論富貴、貧賤、死生、壽夭、得失、成敗都不足以干擾人的進德修業。外在的一切境遇雖然不足以阻礙人的進德修業，但是這些境遇卻是天之所命而不是人力所能改變。從這點上說，人必須敬畏天命。孔子要君子敬畏天命⑯，便是這個意思。

康德假定上帝的存在以保證德福的配稱。⑰如從外緣方面說，這是根據西方的基督教傳統。至於孔子由德福不相配稱而引出天命限制的觀念，固由於切身踐履道德所致，但在外緣上也可說是由於「傳統」作爲中介的結果。⑱從外緣方面看，孔子和康德雖然都可說透過傳統爲中介而把德福關係的倫理問題和宗教聯繫起來；但從另一方面看，孔子對待德福不一致的問題並不像康德那樣由情識去假定上帝的存在，以保證德福的配稱。人如果只由上帝來保證他的德福一致，而不注重理性的道德實踐，則難免流爲悲觀的命定主義者。孔子雖然由德福不相配稱以體認天命的存在，但他並不因此教人放棄道德實踐。可見孔子不是悲觀的命定主義者。孔子立教，不但不放棄道德，而且教人不論幸福與否，都必須由性分的不容已去實踐道德。人依性分去實踐道德是求之在我的事。從表面上看，這似乎是樂觀主義。但道德實踐是永不間斷的過程，這便不能視為樂觀之事。在道德實踐過程中，人雖然不因幸福的受限制而中斷他的踐德工夫，但人也不能改變天命的限制。人因此在情識上要順受天命的限制而敬畏天命，同時更在理性上要進德修業而不已。孔子說他從十五歲開始進德修業，三十歲樹立了人格，四十歲對事物無所疑惑。一直到了五十歲才契知天命。⑲這是他的生命在經歷了一大轉折之後所契證的宗教境界。孔子契知天命之後便不憂。因為知命則樂天，又有何憂可言呢？⑳不憂便是仁者的境界。㉑可見在孔子所契知的天命境界中，宗教和道德是融會在一起的。

三、孔子宗教精神的特質

孔子所體會的天命既然是宗教和道德合一的境界，那麼，這一境界所含蘊的宗教精神特質是怎樣的呢？以下試從比較宗教的觀點加以論列。

希勒（Friedrich Heiler）曾經把世界各大宗教分為預示（Prophetical）和神祕（Mystical）兩大類型，作為比較研究之資。氏以為凡把信仰建立在神的啓示，注重上帝的超越性以及關注道德的價值和戒律的一切宗教都屬于前一類型，像猶太教、基督教和回教便是屬于這一類型的宗教。至于為冥想上帝和「絕對」（Absolute）而遁世以及自我隱退的一切宗教，則屬于後一類型，像興都教、佛教和道教便是屬于這一類型的宗教。㉒

自從希勒為始作俑者之後，學者頗多依據他所定的宗教類型來論衡儒教。如E.R.休克士（E.R.

Hughes）和K.休克士（K. Hughes）以及羅雷（H.H. Rowley）都把儒教看作預示的宗教。㉓韋伯（Max Weber）則以爲儒教從來就沒有一個具有道德預言的超越現世的上帝，以喚起人們的道德要求。㉔按儒教如果從它的早期形態——即孔子所創建的形態來看，它可以說有類于預示的宗教。㉕孔子的高足弟子子貢曾經稱譽孔子是天縱之聖而且多能。㉖這是從才能來了解聖人。換句話說，是從自然生命的立場來立論。如果從自然生命來說，那麼，聖人之所以爲聖人是由于先天具備超凡的才能，所以稱爲「天縱之聖」。像這樣從自然生命的強度來了解聖人，可以說是一種外在的了解，這其實不能了解聖人所以爲聖人的本質意義。再說，如果從自然生命來了解聖人的先天才能，很可能從這裡轉出基督教的道成肉身（Incarnation）的思想。但是在孔子的心目中，並不以爲具備了多種才能就足以成就聖人。孔子曾說過君子並不以多能爲貴的話。㉗君子尚且不以多能爲貴，更何況聖人呢？㉘聖人雖然可以多能，但是決不局限于多能。孔子固然不以聖人自居，所以自己承認多能，㉙藉此來反映聖人不以多能爲可貴。孔子既然不以多能來衡量聖人，所以他沒有道成肉身的思想。

但是子貢把孔子看作「天縱之聖」，那麼，在儒教的早期形態裡也有聖人天降的意識。孔子的同時代人就說過天要以孔子爲木鐸——即派遣孔子爲民眾的領導人。㉚這個說法和基督教義所說基督受上帝的派遣，降世而救罪人似乎相似。當時的人不但具有這種受天帝派遣以濟世的意識，而且以這一意識來看孔子。至于孔子本身也隱藏這一意識。這可以舉兩個事例來說明。第一個事例：孔子周遊列國的時候，有一次他離開衛國，準備到陳國去，經過匡。匡這個地方的人曾經遭受過魯國陽貨的掠奪和殘殺。孔子的相貌很像陽貨，匡人便以爲孔子就是過去曾經殘害過他們的人，於是囚禁了孔子。孔子慨嘆地說：周文王死了以後，一切文化遺產不都在我這裡嗎？天如果要消滅這種文化，那我也不會掌握這些文化了；但是天如果不要消滅這一文化，那麼，匡人又奈何我呢？㉛這可見孔子自覺地承受天命而發揚文王以後的文化事業。

第二個事例：孔子也是在周遊列國的時候，有一次，他離開曹國到了宋國，便和學生們在大樹下演習禮儀。宋國的司馬桓魋想殺害孔子，拔起大樹示威。孔子只好離開，學生們都勸孔子走快點，孔子從容地說：天既然把這樣的資質賦給我，桓魋又怎能奈我何？㉜這也可見孔子儼然受天的意旨去推行他的道。

以上的兩個事例都可以說明早期的儒教具有聖人天降或天啓的意識。但是這種意識到底沒有形式化，所以早期的儒教並沒有形成好像基督教那樣的道成肉身的教義。也由於這個原因，早期的儒教雖然有類於預示的宗教，但是在形式上並不顯著。

如果和基督教對比，那麼，依據基督教的天啓說和道成肉身的教義，它以爲上帝的道本已完成，上帝爲了表現他的博愛，便派遣他的獨生子耶穌基督降臨世間，借肉身而救罪人。基督的肉身因爲救罪人而上十字架，復活後和上帝合爲一體。這一切都稟承上帝的意旨而啓示人間，所以叫做天啓。再說，基督是上帝的化身，只是借肉身體現上帝本來已經完成的道。基督既然是上帝的化身，所以他是先天而且多能的。普通人想以肉體之身經由道德實踐而成就基督，那是絕無可能的事。基督教杜絕人們由道德實踐以成爲基督教聖人的想法，使人對基督教的聖人或上帝有高不可攀的感受，這便形成了基督教的客觀精神。至於孔子則以內在的道德（仁）來衡定聖人。從理上說，不論誰，只要實踐仁，便可能成爲聖人，於是孔子教化的主觀精神便顯露出來。所謂主觀，是指從自己生命的主體來立論，而客觀則從外在的對象來立說。依據孔子的教化，仁是人的生命主體。人只要開發內在的精神生命而實踐仁，便可成就聖人而契知天命，這是主觀精神的表現。至於基督教則以上帝爲中心，上帝是客觀外在的對象，基督徒須由祈禱去接近上帝，由是表現客觀精神。總括地說，孔子的教化雖然在「預示」方面有點類似於基督教，但是從它注重主觀精神來說，卻顯示它和基督教不同的特質。

四、結論

綜上所述，孔子的教化是一種宗教已無可疑。孔子由天命觀所體現的宗教精神由於注重主體性，遂使他的宗教精神別樹一幟。其實，宗教精神不但在孔子身上體現，在孔門弟子中也有不少人具有宗教的情懷。例如子貢稱譽孔子是天縱之聖而且多能，便具有「天啓」的宗教意識。子夏說死生有命，富貴在天㉝，也顯示他對孔子的天命觀有深切的體會。孔子和弟子們既共契於宗教，便足以構成一宗教社會，於是在宗教氣氛中，孔門中人自然流露一種形而上的超越情懷。孔子贊嘆曾點浴乎沂，風乎舞雩，詠而歸，㉞他們從中所體悟的天地境界，便是這一超越的宗教藝術情懷的變現。

【附註】

① 梁漱溟《中國文化要義》（香港：集成圖書公司，一九六三），頁一〇三～一〇五；陳獨秀《獨秀文存》（香港：遠東圖書公司，一九六五），卷一，頁一二九。並見《陳獨秀文章選編》（北京：生活、讀書、新知三聯書店，一九八四），頁一六六～一六七，一九一～一九三，二一〇～二一一。

② 《論語・先進》，見朱熹《四書章句集注》（北京：中華書局，一九八三。按：以下凡引論語，除特別注明外，皆據此書。），頁一二五。

③ 《論語・雍也》，頁八九。

④ 《論語・八佾》，頁六四。

⑤ 同上，頁六五。

⑥ 《論語・述而》，頁一〇一。

⑦ 同上，頁九八。

⑧ 湯用彤《文化思想之衝突與調和》，見《湯用彤學術論文集》（北京：中華書局，一九八三），頁一八九。按：在佛教哲理中，固然講無我而否定鬼的存在，也講破我執而否定有一個獨立的、不滅的精神實體（神）的存在。但這一理論和佛教宗教理論所講的輪迴和報應相衝突。因爲沒有一個精神實體來承擔，輪迴、報應就將落空。因此印度佛教各派極力迴避把輪迴、報應的承受者看成一個實體，而把它描繪爲一種無實體的意識活動或行爲作用。這一無實體的意識活動便是漢譯經文所說的「識神」或「中陰」

或「補特迦羅」。它們誠然可以作為因果連續的中介或承擔者來理解，但它們的特點都是有情有識，變化不已的，因而只能處在三界五道的世間範圍，不能作為出世間的主體。直到慧遠講有神論，向上才可以解釋出世涅槃，達到神界的憑依；向下才可以解釋世間生死，作為輪迴的主體。但慧遠的有神論是融會儒、道、釋才提煉出來的，那已不能視為印度佛教的原本思想。參考慧遠《沙門不敬王者論·形盡神不滅·五》，見《弘明集·卷五》（上海：中華書局四部備要本），頁九～一一。

⑨ 中國古代並沒有靈魂不朽的說法。中國古代有魂與魄的觀念，分別代表天地之氣：魂來自天，屬於陽；魄來自地，屬於陰。魂主管人的精神知覺，魄主管人的形骸血肉。魂與魄合則生，散則死。魂與魄分散後，一上升於天，一下入於地，魂魄最後既復歸於天地之氣，所以不是永遠存在的個體。關於中國古代的魂魄觀念的討論，參考余英時《中國古代死後世界觀的演變》，見《明報月刊》（一九八三年九月），頁一二～二〇。

⑩ A.N. Whitehead *Religion in the Making* (London: Cambridge University Press, 1926), PP.18-38.

⑪ 據說，南子有淫行。見《四書章句集注》，頁九一。

⑫ 同③，頁九一。

⑬ 同③，頁八七。

⑭ 何晏集解、邢昺疏《論語注疏》（北京：中華書局十三經注疏本，一九五七），頁一三五。

⑮ 同②。

⑯ 《論語・季氏》，頁一七二。

⑰ Thomas Kingsmill Abbott trans., Critical Examination of Practical Reason, in *Kant's Critique of Practical Reason and Other Works on the Theory of Ethics* (London: Longmans, Green & Co., 1948) , PP.220-229; Lewis White Beck trans., *Critique of Practical Reason* (New York: Liberal Arts Press, 1956), PP.128-136.

⑱ Alan Chan, Philosophical Hermeneutics and the Analects:The paradigm of "tradition" in *Philosophy East and West* vol. 34, no. 4 (October, 1984) , PP.421-436.

⑲ 《論語・爲政》，頁五四。

⑳ 《周易・繫辭傳・上》，見《周易正義》（北京：中華書局十三經注疏本，一九五七），頁三六七。

㉑ 《語・子罕》，頁一一六。邢昺疏解「仁者不憂」，說：「仁者知命，故無憂患。」見前揭書，頁二〇九。

㉒ Friedrick Heiler, *Das Gebet* (Munchen, 1921) ,PP. 248-263. See the work translated and edited by Samuel McComb, *Prayer: A study in the History and Psychology of Religion* (London: Oxford University Press, 1932) ,ch.6.

㉓ E.R. Hughes & K. Hughes, *Religion in China* (1950) : H.H. Rowley, *Prophecy and Religion in Ancient China* (London, 1956) , P.120.

㉔ Max Weber, *The Religion of China*, translated from the German and edited by Hans H. Gerth（New York : The Free Press Paperback edition, 1968）, PP. 29-30.

㉕ 秦家懿（Julia Ching）, *Confucianism and Christianity*（Tokyo, New York & San Francisco: Kodansha International,1977）, P.XXi, P.179.

㉖ 同㉑，頁一一〇。

㉗ 同上。

㉘ 在孔子的人格層級中，君子視聖人差一層級，所以孔子說聖人不得見，得見君子便可以了。同⑥，頁九九。

㉙ 同㉖。

㉚ 同④，頁六八。

㉛ 《史記・孔子世家》（北京：商務印書館縮印百衲本，一九五八），頁六四九～六五〇；又見《論語・子罕》，頁一一〇。

㉜ 《史記・孔子世家》，頁六五〇；又見《論語・述而》，頁九八。

㉝ 《論語・顏淵》，頁一三四。

㉞ 《論語・先進》，頁一三〇。

柒、王船山的宗教思想

王船山之宗教思想與其理氣論關係密切。船山從理氣論宗教，創見甚多，茲分數點論之。

一、天人不合

船山所謂天，包括理與氣。

氣者，理之依也。氣盛則理達。天積其健盛之氣，故秩敘條理，精密變化而日新。①

天者，資始萬物之理氣也。②

太虛即氣，絪緼之本體，陰陽合於太和，雖其實氣也，而未可名之爲氣；其升降飛揚，莫之爲而爲，萬物之資始者，於此言之則謂之天。氣化者，氣之化也。陰陽具於太虛絪緼之中，其一陰一陽，或動或靜，相與摩盪，乘其時位以著其功能，五行萬物之融結流止，飛潛動植各自成其條理而不妄，則物有物之道，鬼神有鬼神之道，而知之必明，處之必當，皆循此以爲當然之則，於此言之則謂之道。③

陰陽合於太和，可以見天之氣；至於陰陽之或動或靜而成就萬物之條理，則可以見天之理。

程子言：天，理也，既以理言天，則是亦以天爲理矣。以天爲理，而天固非離乎氣而得名者也，則理即氣之理，而後天爲理之義始成。浸其不然，而捨氣言理，則不得以天爲理矣。何也？天者，固積氣者也。④

總之，天兼含理與氣，而不可只自理或氣以說天。

自氣言之，則天爲宇宙之大力而生化不測。自此而言，人不能從天而步趨之。

天之化裁人，終古而不測其妙；人之裁成天，終古而不代其工。天降之衷，人修之道；在天有陰陽，在人有仁義；在天有五辰，在人有五官；形異質離，不可強而合焉。……天與人異形離質，而所繼者惟道也。天之聰明則無極矣，天之明威則無常矣。從其無極而步趨之，是夸父之逐日，徒勞而速斃也。從其無常而步趨之，是刻舷之求劍，惛不知其已移也。⑤

天之聰明無極而明威無常，人與天相較，不免有藐然之感，故人不可驟與天相合，且須以敬畏之心祀天。

大過之初，陰（喻人）處下，履乎無位，其所承者，大之積剛（喻天）而過者也。以初視大，亢乎其相距矣。以大視初，眇乎其尤微矣。以其眇者視其亢者，人之於天，量之不相及也。……聖人因以制事天之典禮，斟酌以立極，則非擬議不爲功。易曰：借用白茅，無咎。非擬議之餘，因象以制動，亦惡足以知其愼哉？是故聖人之事天也……不欲其合之，驟與相及，則取諸量也。荐之為明德，制之為郊禋，不欲其簡，以親大始也；不欲其黷，以嚴一本也；則取諸慎也。⑥

船山既敬天祀天，故以妄同於天者為僭天。船山敬天而祀之，是承自孔子以降，儒家所具之宗教敬畏意識。

二、天人不離

若固守於天人不合，則與一般宗教言神人相隔之旨不殊。但如上所述，船山之天，非徒為一塊然之物質（氣），而實兼含理之一面。此理即人與物之精神性。

今夫天，蒼蒼而已矣，曠曠而已矣。蒼蒼者不詘，曠曠者無極，氣也；而寒暑貞焉，而昭明發焉，而運行建焉，而七政紀焉，而動植生焉，而仁、義、禮、智不知所自來，而生乎人之心、顯乎天下之物則焉。斯固有以入乎氣之中，而為氣之衷者，附氣以行而與之親，襲氣於外而鼓之榮，居氣於中而奠之實者矣。⑦

人若能踐天所賦與精神性之理，則德侔於天，於是天人不離。

人之事天，理之可相及者也。……是故聖人之事天也，不欲其離之，弗與相及，則取諸理也。⑧

具體言之，人以理事天，即以志治氣。

氣者，天化之撰；志者，人心之主。……唯天生人，天爲功於人而人從天治也。人能存神盡性以保合太和，而使二氣之得其理，人爲功於天而氣因志治也。⑨

人之志足以治氣，則天不違於人。

天下既已無道，則志壹動氣，天不能違乎人。⑩

心之所存，推而行之，無不合於理，則天不能違矣。⑪

人顯其理性而志壹動氣，以致天不違於人。由此進一步，則聖人盡人道而與天合德。

是故聖人盡人道而合天德。合天德者，健以存生之理；盡人道者，動以順生之幾。⑫

聖人既合天德，則德侔於天。此與西方宗教講人以有罪之身匍匐於天帝之前者，其精神實有不同。

三、天人和諧

船山以天兼具氣與理說明天人不即不離之關係。抑氣與理非截然不相貫通之二域。船山以爲從氣之運行中即可見道（理）。理既貫於氣，於是氣化流行，往來不窮。若從人事變化言之，則於氣化流行之中，固見天命之功效，亦見人性之用事。

天地之生人爲貴，惟得五行敦厚之化，故無速見之慧。物之始生也，形之發知，皆疾於人，而其終也鈍。人則具體而儲其用，形之發知，視物而不疾也多矣，而其既也敏。孩提始知笑，旋知愛親，長始知言，旋知敬兄，命日新而性富有也。君子善養之，則耄期而受命。⑬

命日新而性富有，不止爲人之所以異於物者，亦爲人之所以特出於禽獸處。

禽獸終其身以用天而自無功，人則有人之道矣。禽獸終其身以用其初命，人則有日新之命矣。⑭

人既有日新之命與富有之性，則人之命非前定，性不限於初生。船山因此有命日降而性日生之說。⑮

夫性者生理也，日生則日成也。則夫天命者，豈但初生之頃命之哉？……形化者化醇也，氣化者化生也。二氣之運，五行之實，始以爲胎孕，後以爲長養，取精用物，一受於天產地產之精英，無以異也。形日以養，氣日以滋，理日以成；方生而受之，一日生而一日受之。受之者有所自授，豈非天哉？故天日命於人，而人日受命於天。故曰性者生也，日生而日成之也。……天日臨之，天日命之，人日受之。命之自天，受之爲性。終身之永，終食之頃，何非受命之時？皆命也，則皆性也。天命之謂性，豈但初生之獨受乎？……成之者性，天之幾也。初生之造，生後之積，俱有之也。⑯

命曰降，性曰受。性者生之理，未死以前皆生也，皆降命受性之日也。初生而受性之量，日生而受性之眞。爲胎元之說者，其人如陶器乎！⑰

天之與人者，氣無間斷，則理亦無間斷，故命不息而性日生。學者正好於此放失良心不求亦復處，看出天命於穆不已之幾，出王、游衍，無非昊天成命，相爲陟降之時；而君子所爲不遠復，無祇悔，以日見天心、日凝天命者，亦於此可察矣。⑱

昭明天體也，昭物而物昭之，明物而物明之，天用也。維天之體即以用，凡天之用皆其體，富有而不吝於施，日新而不用其故，容光而不窮於所受，命者命此焉耳，性者性此焉耳。不達其說者曰：天唯以其靈授之有生之初而不再者也，是異端迴脫根塵、靈光獨露之說也，是抑異端如影赴鐙、奪舍而棲之說也。夫苟受之有生而不再矣，充之不廣，引之不長，澄之不清，增之不富，人之於天，終無與焉已矣，是豈善言性者哉？古之善言性者，取之有生之後，閱歷萬變之知能，而豈其然哉？故《詩》之言天，善言命也，尤善言性也。君子萬年，介爾昭明，有萬年之生，則有萬年之昭明，有萬年之昭明，則必有續相介爾於萬年者也。此之謂命日受、性日生也。⑲

凡此足見船山强調天命日降而人性日生之旨。天命日降，則天顯其尊嚴。

天命而不可亢，唯其尊焉耳。⑳

天既顯其尊嚴，則人不可驟同於天。至於人性日生，則人顯其理性，而與天和諧。

天顯於民，而民必依天以立命，合天人於一理。㉑

合天人於一理，非籠統言之。如上所述，人以理事天，實以心志落實天之用。自此言之，人實爲天地之心。

自然者天地，主持者人。人者天地之心。㉒

人既爲天地之心，則天命貫注而通徹於人性之中，終臻於天人之大和諧。在此大和諧中，天人並受尊重。按商代及周初尊天而卑人㉓，則與船山尊天而不卑人之說不同。㉔又宋明以降，儒者主一切求諸己，由是講天人不二。㉕按由求諸己而講天人不二，似能強調人之主觀性，實則宋儒所講之主觀性並未落實。船山則由人之心志彰顯天理之用㉖，於是船山由性命貫通講天人和諧，不但足以綜括前人而超越之，抑且具有深邃之宗教意識。

惟天有不息之命，故人得成其至誠之體；而人能成其至誠之體，則可以受天不息之命。不然，二氣之妙合自流行於兩間，而時雨不能潤槁木，白日不能炤幽谷，命自不息而非其命，唯其有形不踐而失吾性也。……天命不息，而人能瞬存息養，晨乾夕惕，以順天行，則刻刻皆與天相陟降，而受天之命，無有所遺，於凡萬物變化，萬事險阻，皆有百順至當之理，隨喜怒哀樂而合於太和，所以感人心於和平而贊天地之化育者，自無間矣。㉗

天命不息，人性日長；人遂充分實現心志而成就其至誠之體以契證天命，馴至以此至誠之體參贊天地之化育，此即船山宗教思想之最精特處。

四、天假私以行公

人接受天所日降之命，復實踐天所賦之理以成全其性，則天即假聖人之德，以見其大公無私。人若存私心，不實踐天理以成其性，則於客觀宇宙歷史大化中，天將假人之私以行其大公。

秦以私天下之心而罷侯置守，而天假其私以行其大公，存乎神者之不測，有如是夫！㉘

如上所述，天兼含理與氣，故其中有理性成分。理性則常假現實以實現其理想，也常假有限不圓滿之事物以達到其圓滿。船山即以爲天以其大公無私之理性，而假個體生命之私以濟天下之公。天道似乎有意播弄徇私之個體生命，使其懷自私之目的而完成大公之事業，即如秦始皇之所爲。德哲黑格爾（Georg Wilhelm Friedrich Hegel, 1770-1831）稱此假私濟公之用心與手段爲「理性之機巧」（Cunning of reason）。㉙天藉其機巧致秦皇個人之私不得逞，反爲天所假以行其公，是眞見天之神化而不測。

五、死為生之大造

人若知天於宇宙歷史中神化不測，闔闢於渾然一氣之中，而往來不窮，則知生死之相貿。

生死相貿，新故相迭，渾然一氣。㉚

既知生死之相貿，新故之相續，則由推故致新，可知死爲生之大造。

凡生而有者，有爲胚胎，有爲流蕩，有爲灌注，有爲衰減，有爲散滅，固因緣和合自然之妙合，萬物之所出入，仁義之所張弛也。胚胎者，陰陽充積，聚定其基也。流蕩者，靜躁往來，陰在而陽感也。灌注者，有形有情，本所自生，同類牖納，陰陽之施予而不倦者也。其既則衰減矣。基量有窮，予之而不能多受也。又其既則散滅矣。衰滅之窮，予而不茹，則推故而別致其新也。由致新而言之，則死亦生之大造矣。㉛

船山以爲人死只不過氣之暫時離形，其精氣仍往來於天地之間，而不可言斷滅。

是故人之生也，氣以成形，形以載氣，所交徹乎形氣之中，綿密而充實，所以成、所以載者，有理焉，謂之存存。人之死也，魂升於天，魄降於地，性之隱也，未嘗亡而不得存者，與魂升，與魄降，因其屈而以爲鬼神。故鬼神之與人，一也。鬼神之誠，流動充滿，而人之美在中也。其屈也，鬼神不殊於人，而其德惟盛。㉜

夫志者，執持而不遷之心也，生於此，死於此，身沒而子孫之精氣相承以不間。㉝

人雖死而心志既由子孫之精氣相承不間斷，則鬼神非虛無，人之祭祀鬼神，即可由誠敬與之相感格。

人之與物皆受天地之命以生，天地無心而物各自得，命無異也。乃自人之生而人道立，則以人道紹天道，而異於草木之無知，禽蟲之無恆，故唯人能自立命，而神之存於精氣者，獨立於天地之間而與天通理。是故萬物之死，氣上升，精下降，折絕而失其合體，不能自成以有所歸。唯人之死，則魂升魄降，而神未頓失其故，依於陰陽之良能以爲歸，斯謂之鬼。鬼之爲言歸也，形氣雖亡而神有所歸，則可以孝子慈孫誠敬惻怛之心合漠而致之，是以尊祖祀先之禮行焉，五代聖人所不能變也。㉞

人之沒也，形陰於土，氣散於空，而神志之返於漠者，寓於兩間之氣以不喪其理，故從其情志所專壹者而以情志通之，則理同而類應。蓋唯孝子慈孫本自祖考而來，則感召以其所本合之氣而自通，此皆理氣之固然，非若異端之所謂觀者，以妄想強合非類而謂一切唯心之徒以惑

世而誣民也。㉟

可見船山認爲祖先雖死而不失其神志。

至於人中之聖，船山以爲彼輩死後不但精神猶在，而且即以精神「公諸來世與群生」。聚而成形，散而歸於太虛，氣猶是氣也。神者，氣之靈，不離乎氣而相與爲體，則神猶是神也，聚而可見，散而不可見爾，其體豈有不順而妄者乎！故堯、舜之神，桀、紂之氣，存於絪縕之中，至今而不易。㊱

然且聖人憂之者，化不可知而幾甚危也。是故必盡性而利天下之生。自我盡之，生而存者，德存于我；自我盡之，化而往者，德歸于天地。德歸于天地，而清者既于我而擴充，則有所埤益，而無所吝留。他日之生，他人之生，或聚或散，常以扶清而抑濁，則公諸來世與群生，聖人因以贊天地之德；而不曰死此而生彼，春播而秋穫之，銖銖期報于往來之間也。㊲

船山從來世與群生論聖人精神不朽，則與佛教從個體生命講輪迴不類，也與西方宗教但求個體生命之靈魂長存者不同。抑聖人精神不朽，自可與祖先同享祭祀，從而與祭天構成一套祭祀系統。

且夫人之生也，莫不資始于天。逮其方生而予以生，有恩勤之者而生氣固焉（父母）；有君主之者而生理寧焉（君師）。則各有所本，而不敢忘其所遞及，而驟親于天。然而有昧始者忘天，則亦有二本者主天矣。忘天者禽，主天者狄。羔烏之恩，知有親而不知有天；蹛林之會，知有天而不恤其親。君子之異於禽也，豈徒以禋祀報始哉？巡守則類焉，民籍則獻焉，欽承以通之，昭臨女之毋貳也，故曰乾稱父，坤稱母。若其異於狄也，則用重而物則薄也，天子之外未有干焉者。等人而專於天子，而抑又用之以薄，非能侈然驟躋於帝之左右矣。狄之自署曰天所置單于，黷天不疑，既已妄矣。而又有進焉者，如近世洋夷利瑪竇之稱天主，敢於褻鬼倍親而不恤也，雖以技巧文之，歸於狄而已矣。㊳

船山所斥二本主天者乃指墨、釋二家。

若墨之與佛，則以性與形爲二矣。……要其所謂二本者，一、性本天地也，眞而大者也；一、形本父母也，妄而小者也。……蓋惟不知形色之即天性，而父母之即乾坤也。形色即天性，天性眞而形色亦不妄。父母即乾坤，乾坤大而父母亦不小。㊴

船山由形與性不二，而兼歸生化於天地與父母。

人之與天，理氣一也；而繼之以善，成之以性者，父母之生我，使我有形色以具天性者也。理在氣之中，而氣爲父母之所自分，則即父母而溯之，其德通於天地也，無有間矣。若捨父母而親天地，雖極其心以擴大而企及之，而非有惻怛不容已之心動於所不可昧。是故於父而知乾元之大也，於母而知坤元之至也，此其誠之必幾，禽獸且有覺焉，而況於人乎！故曰：一陰一陽之謂道，乾、坤之謂也；又曰繼之者善，成之者性，誰繼天而善吾生？誰成我而使有性？則父母之謂矣。繼之成之，即一陰一陽之道，則父母之外，天地之高明博厚，非可躐等而與之親，而父之爲乾，母之爲坤，不能離此以求天地之德，亦昭然矣。㊵

總之，船山以爲天爲人與萬物所共本，人各有祖先、父母、師長（包括聖賢）而各有所本，故人既不可忘祖先、父母、師長而直接與天親近，又不可忘天而與天乖離。因此宗教性之祭祀當包括天（地）、親、君師（聖賢），此與基督教只事奉天帝不同。㊶

基督教只事奉天帝而不祭祀鬼神，如自高級宗教言之，實未可厚非。船山所表現儒家之宗教精神，如嚴格言之，亦須就其所言以心志與天相合爲說，而不能只就鬼神爲說。因爲鬼神並非一超越之實體，不能與具形而上意義之「太虛之神」相提並論，鬼神只是心志與天之間之實然存在。船山之宗教思想雖須就其所言以心志與天相合爲說，但如將其以天爲綱主而成之宗教性容量擴大而充其極，則亦可由此帶出上述之三祭。㊷其中除所祭之天不可以鬼神論者外，其餘祖先、聖賢皆爲鬼神。人祭祀鬼神時，如上所引述，必須出於至誠。否則將流爲迷信。

且天下之所謂鬼神者，非鬼神也，謂以爲有則有，以爲無則無，然則信有妖而諂事之，亦將有當於鬼神乎？……然則仁人享帝、孝子享親，亦叢狐社木之妄輿，不待言矣。無他，唯無以有己之誠不屬，而浮游之情易遷也。有身之可致，有心之可靖，食焉而見於羹，坐焉而見於牆，無形無聲而視聽之，唯性之能，而情與才無不效之能也。則明明赫赫，果有嗜飲食而來愾歎者，可事也。能人事者，夙夜承之；不能者傲之於慠怳無憑之際，惡足以及此哉？甚矣，能之未易任也！人之方生也，往者已過，相與忘之，不思其反；來者相續，相與聽之，不恤我後。若此者，初終罔據，無異形而早有異心，官體之靈去之矣。以情之倏而興者，泛用其知而已，逝者訖無餘心，恂然則神返於漠，氣返於虛，尤杳茫蕩散之無存，不容察矣。無他，唯思則得之之才不盡，而耳目之慧有涯也。形以外，明有神理之中，明有化默而識，則可以藏往推其緒，則可以知來，日邁月征而不昧焉。唯能自知，而天與物無不徹之知也，則方屈方伸，果有全而生、全而歸者可知也。知生者旦暮遇之，未知者惘於見聞已泯之餘，惡從而求端哉？甚矣，知之未易明也。有必事之人鬼，則有可事之能，修之吉而悖之凶，有眾著之形生形死，則有獨知之神死神生。來不窮而往不息，故君子孳孳焉日嚴於敬，肆明昧之幾，以與天通理，豈曰以意爲有無，而聽其不亡以待盡也哉！㊸

事鬼神而歸本於天，乃窮理以盡人事之至。淫祀者以鬼事鬼，不當於禮，其黷甚矣。㊹

船山不憚其煩，申說祭祀鬼神須以誠敬貫之，此說明鬼神之存在係由德性所帶起者。鬼神作爲實然之精氣，其本身存在與否，並不太重要。船山欲人窮理以盡人事，即由誠敬事鬼神以與天通理，是眞能深切體會儒家之宗教精神而不失。

六、斥佛教玩弄光影

佛教不祭祀祖先，則不但忘祖先爲我之本；唯識宗且否定天之客觀存在。唯識宗主三界唯心，萬法唯識，而止以心識所反映之世界爲眞實㊺，即如月之止反映日光。

乃若天地之最無以爲功於萬物者，莫若月焉。……特其炫潔涵空，微茫晃爍，以駘宕人之柔情，而容與適一覽之歡，見爲可樂，故釋氏樂得而似之。非色非空，無能無所，僅有此空明夢幻之光影，則以爲法身，則以爲大自在，則以爲無住之住，以天下爲遊戲之資，而納群有於生化兩無之際。然則非遊惰忘歸之夜人，亦誰與奉月以爲性教之藏也哉？故其徒之覆舟、打地、燒庵、斬貓也，皆月教也。求其明且潤者而不可得，乃曰此亦一明也，亦一潤也，豈不悲乎！㊻

船山肯定超越之天而講大化往來無窮，與佛教玩弄光影適成強烈對比㊼，此船山所以必視佛教爲異端，而攻之不遺餘力。

【附註】

① 《思問錄．內篇》（北京：古籍出版社，一九五七），頁二一。
② 《周易內傳》，卷二，見《船山易學》（臺北：廣文書局，一九七一），頁二〇〇。
③ 《張子正蒙注》（北京：中華書局，一九五九），卷一，頁一五～一六。
④ 《讀四書大全說》（北京：中華書局，一九七五），卷一〇，頁七一八～七一九。
⑤ 《尚書引義》（北京：中華書局，一九六二），卷一，頁三〇。
⑥ 《周易外傳》（北京：中華書局，一九七七），卷五，頁一八九。
⑦ 《尚書引義》，卷三，頁五〇。

⑧《周易外傳》，卷五，頁一八九。
⑨《張子正蒙注》，卷一，頁二四。
⑩《讀四書大全說》，卷八，頁五一七。
⑪《張子正蒙注》，卷二，頁六〇。
⑫《周易外傳》，卷二，頁六五。
⑬《思問錄．內篇》，頁一八。
⑭《詩廣傳》（北京：中華書局，一九六五），卷四，頁一三三。
⑮參考唐君毅《秦漢以後天命思想之發展》，見《新亞學報》第六卷第二期（一九六四），頁五四～五五。
⑯《尙書引義》，卷三，頁五五～五七。
⑰《思問錄．內篇》，頁一四。
⑱《讀四書大全說》，卷十，頁六八五。
⑲《詩廣傳》，卷四，頁一二四。
⑳同上，頁一二。
㉑《尙書引義》，卷四，頁七九。
㉒《周易外傳》，卷二，頁六〇。

中國哲學原論・上冊》（香港：人生出版社，一九六六），頁五〇一～五〇八。

㉔ 船山講：「人所有〔事〕於天之化，非徒任諸天」（見《尚書引義》，卷四，頁九七），此蓋由於早年慘遭亡國之痛而深切反省，故有是言。參考Ian Macmorran, "Wang Fu-chih and the Neo-Confucian Tradition"in Wm. Theodore De Bary, *The Unfolding of Neo-Confucianism*（New York and London: Columbia University Press, 1975）, P.453.

㉕ 如程顥謂「只心便是天，盡之便知性，知性便是天，當處便認取，更不可外求。」見《二程全書・河南程氏遺書・二上》（《四部備要》本，頁一一。）

㉖ 近代學者Alison Harley Black 已注意及船山所講天人之關係與宋初儒者不同。其不同之關鍵即在船山以無心與有心顯示天人之別。參考氏著 *Nature, Artifice And Expression In The Philosophical Thought of Wang Fu-chih*（1619-1692）（Ph. D Dissertation,The University of Michigan, 1979）, PP.148-150；又 *Man and Nature in the Philosophical Thought of Wang Fu-Chih*(Seattle and London: University of Washington Press,1989）,PP 104-106。

㉗ 《張子正蒙注》，卷九，頁二七二～二七三。

㉘ 《讀通鑑論》（北京：中華書局，一九七五），卷一，頁二。

㉙ *The Philosophy of History*,trans.J.Sibree（New York and London:The Co-operative Publication Society, 1900）, P.33，並參考賀麟《論假私濟公》見《文化與人生》（北京：商務印書館，一九八八），頁六

三～七〇。

㉚《莊子解》（北京：中華書局，一九八一），卷二三，頁一八五～一八六。

㉛《周易外傳》，卷二，頁六三。

㉜《尚書引義》，卷三，頁五〇。

㉝《讀通鑑論》，卷一三，頁四一三。

㉞《禮記章句》，見《船山全書・四》（長沙：嶽麓書社，一九九一），卷二三，頁一〇九一～一〇九二。

㉟同上，卷二四，頁一一〇三。

㊱《張子正蒙注》，卷一，頁七。

㊲《周易外傳》，卷六，頁二二一。

㊳同上，卷五，頁一九〇。

㊴《讀四書大全說》，卷八，頁五八三～五八四。

㊵《張子正蒙注》，卷九，頁二六六。

㊶基督教之教義固只事奉天帝，但明末耶穌會教士利瑪竇（Matteo Ricci,1552-1610）爲尊重中國傳統，並不反對中國祀祖之禮，且以祀祖之禮與天主教靈魂不滅說不相違悖。參考氏著《天主實義》（《天學初函》本），卷上，頁三二，三七～三八；並參考陳受頤《明末耶穌會士的儒教觀及其他》，見包遵彭主

編《明史論叢・明代宗教》（台北：學生書局，一九六八），頁八一～八二。船山所斥「倍親而不恤」，實耶穌會以外教士之主張。參考陳受頤，前揭文，頁八七。

㊷ 參考牟宗三《心體與性體・㈠》（台北：正中書局，一九六八），頁四七七～四八二。

㊸ 《船山經義・季路問事鬼神章》，見《船山遺書全集・一九》（台灣：中國船山學會自由出版社，一九七二），頁一〇九三七～一〇九三八。

㊹ 《張子正蒙注》，卷八，頁二五九。

㊺ 參考窺基《成唯識論述記》卷一本，見日本大正新修《大藏經》卷四三，頁二四三。

㊻ 《周易外傳》，卷七，頁二六一～二六二。

㊼ 參考唐君毅《中國哲學原論・原教篇（下）》（香港：新亞研究所，一九七七），頁六二九～六三四。

《紀念王船山逝世三百周年國際學術討論會》所呈論文 一九九二年八月

捌、屈原《天問》之宗教意識

一

屈原《天問》乃總萬物於天而問之。①屈原問萬物於天，其事本不尋常；加以本篇之文辭錯雜，義蘊難明，故歷來注家以《天問》爲屈原所作諸篇之最難解者。王逸《楚辭章句》：

屈原放逐，憂心愁悴，彷徨山澤，經歷陵陸，嗟號昊旻，仰天歎息。見楚有先王之廟及公卿祠堂，圖畫天地山川神靈琦瑋僑佹，及古賢聖怪物行事，周流罷倦，休息其下，仰見圖畫，因書其壁，何而問之，以渫憤懣，舒瀉愁思。楚人哀惜屈原，因共論述，故其文義不次序云爾。②

王夫之不同意王逸「文義不次」之說：

篇內事雖雜舉，而自天地山川，次及人事；追述往古，終之以楚先，未嘗無次序存焉。③

李陳玉則依據《天問》段落次序，具體將全篇分爲三大段：第一段從「曰遂古之初」至「曜靈安藏」，問天之事；第二段從「不任汨鴻」至「烏焉解羽」，問地之事；第三段從「禹之力獻功」至「忠名彌彰」，問人之事。④

《天問》雖可按段落次序分爲問天、問地、問人三段，但近人黃永年以爲在各段之中都有錯簡。茲依黃氏之說，將原文釐定如下：

第一段：

曰：遂古之初，誰傳道之？上下未形，何由考之？冥昭瞢闇，誰能極之？馮翼惟像，何以識之？明明闇闇，惟時何爲？陰陽三合，何本何化？厥萌在初，何所億焉？璜臺十成，誰所極焉？登立爲帝，孰道尚之？女媧有體，孰制匠之？圜則九重，孰營度之？惟茲何功，孰初作之？斡維焉繫，天極焉加？八柱何當，東南何虧？九天之際，安放安屬？隅隈多有，誰知其數？天何所沓，十二焉分？日月安屬，列星安陳？出自湯谷，次於蒙汜，自明及晦，所行幾里？夜光何德，死則又育？厥利維何，而顧菟在腹？女岐無合，夫焉取九子？伯強何處，惠氣安在？何闔而晦，何開而明？角宿未旦，曜靈安藏？

以上問天之事。

第二段：

不任汩鴻，師何以尚之？僉曰何憂，何不課而行之？鴟龜曳銜，鮌何聽焉？順欲成功，帝何刑焉？永遏在羽山，夫何三年不施？伯禹愎鮌，夫何以變化？纂就前緒，遂成考功，何續初繼業，而厥謀不同？洪泉極深，何以寘之？地方九則，何以墳之？河海應龍，何盡何歷？鮌何所營，禹何所成？康回馮怒，墜何故以東南傾？九州安錯，川谷何洿？東流不溢，孰知其故？東西南北，其修孰多？南北順墮，其衍幾何？崑崙縣圃，其尻安在？增城九重，其高幾里？四方之門，其誰從焉？西北辟啓，何氣通焉？日安不到，燭龍何照？羲和之未揚，若華何光？何所冬暖？何所夏寒？焉有石林？何獸能言？焉有虯龍，負熊以遊？雄虺九首，儵忽焉在？何所不死？長人何守？靡蓱九衢，枲華安居？一蛇吞象，厥大何如？黑水玄趾，三危安在？延年不死，壽何所止？鯪魚何所？鬿堆焉處？羿焉彈日？烏焉解羽？

以上問地之事。

第三段：

禹之力獻功，降省下土四方，焉得彼嵞山女，而通之於臺桑？閔妃匹合，厥身是繼，胡維嗜不同味，而快鼂飽？啓代益作后，卒然離蠥，何啓惟憂，而能拘是達？皆歸䠶鞫，而無害厥躬，何后益作革，而禹播降？啓棘賓商，《九辯》《九歌》，何勤子屠母，而死分竟地？帝降夷羿，革孽夏民，胡䠶夫河伯，而妻彼雒嬪？馮珧利決，封狶是䠶，何獻蒸肉之膏，而后帝不若？浞娶純狐，眩妻爰謀，何羿之䠶革，而交吞揆之？阻窮西征，巖何越焉？化爲黃熊，巫何活焉？咸播秬黍，莆雚是營，何由并投，而鯀疾脩盈？白蜺嬰茀，胡爲此堂？安得夫良藥，不能固臧？天式從橫，陽離爰死，大鳥何鳴，夫焉喪厥體？蓱號起雨，何以興之？撰體協脅，鹿何膺之？鼇戴山林，何以安之？釋舟陵行，何以遷之？惟澆在户，何求于嫂？何少康逐犬，而顛隕厥首?女歧縫裳,而館同爰止,何顚易厥首,而親以逢殆?湯謀易旅,何以厚之?覆舟斟尋,何道取之?桀伐蒙山,何所得焉?妹嬉何肆,湯何殛焉?舜閔在家,父何以鰥?堯不姚告,二女何親?舜服厥弟,終然爲害,何肆犬體,而厥身不危敗?簡狄在臺嚳何宜?玄鳥致貽女何喜?該秉季德,厥父是臧,胡終弊於有扈,牧夫牛羊?干協時舞,何以懷之?平脅曼膚,何以肥之?有扈牧豎,云何而逢?擊床先出,其命何從?恆秉季德,焉得夫朴牛?何往營班祿,不但還來?昬微遵跡,有狄不寧,何繁鳥萃棘,負子肆情?眩弟竝淫,危害厥兄,何變化以作詐,後嗣而逢長?成湯東巡,有莘爰極,何乞彼小臣,而吉妃是得?水濱之木,得彼小子,夫何惡之,媵有莘之婦?湯出重泉,夫何辠尤,不勝心伐帝,夫誰使挑之?緣鵠飾玉,后帝是饗,何承謀夏桀,終以滅喪?帝乃降觀,下逢伊摯,何條放致罰,而黎服大説?皇天集命,惟何戒之?受禮天下,又使至代之?初湯臣摯,後茲承輔,何卒官湯,尊食宗緒?彼王紂之躬,孰使亂惑?何惡輔弼,讒諂是服?比干何逆,而抑沈之?雷開阿順,而賜封之?何聖人之一德,卒其異方,梅伯受醢,箕子詳狂?會鼂爭盟,何踐吾期?蒼鳥群飛,孰使萃之?到擊紂躬,叔旦不嘉,何親揆發足,周之命以咨嗟?授殷天下,其位安施?反成乃亡,其罪伊何,爭遣伐器,何以行之?竝驅擊翼,何以將之?稷維元子,帝何竺之?投之於冰上,鳥何燠之?何馮弓挾矢,殊能將之?既驚帝切激,何逢長之?伯昌號衰,秉鞭作牧,何令徹彼岐社,命有殷國?遷藏就岐何能依?殷有惑婦何所譏?受賜茲醢,西伯上告,何親就上帝罰,殷之命以不救?師望在肆昌何識？鼓刀揚聲后何喜？武發殺殷何所悒？載尸集戰何所急？昭后成遊，南土爰底，厥利惟何？逢彼白雉。穆王巧梅，夫何爲周流？環理天下，夫何索求？妖夫曳衒，何號於市？周幽誰誅？焉得夫褒姒？天命反側，何罰何佑？齊桓九會，卒然身殺。伯林雉經，維其何故？何感天抑墜，夫誰畏懼？勳闔夢生，少離散亡，何壯武厲，能流厥嚴？彭鏗斟雉帝何饗？受壽永多，夫何久長？中央共牧后何怒？螽蛾微命力何固？驚女採薇鹿何祐？北至回水萃何喜？兄有噬犬弟何欲？易之以百兩卒無祿。薄暮雷電歸何憂？厥嚴不奉帝何求？伏匿穴處爰何云？荆勳作師夫何長？悟過改更，我又何言？吳光爭國，久余是勝。何環穿自閭社丘陵，爰出子文？吾告堵敖以不長，何試上自予，忠名彌彰？⑤

以上問人之事。

按以上據《天問》段落次序分問天、問地、問人三事，只就大體而言，實則各段之間互有牽涉，不可過於拘泥。

二

屈原所問天之事，自宇宙起源、日月星辰以至神話傳說都有所涉及。如：

明明闇闇，惟時何爲？

此問渾沌之時，或明或暗，其時究竟在作何事？⑥

陰陽三合，何本何化？

此問在渾沌之中，如何由陰陽參合⑦，以化出上帝及天地萬物？⑧

厥萌在初，何所億焉？

此問渾沌狀態結束之初，所萌現之上帝及女媧究竟由何人億度出來？⑨

璜臺十成，誰所極焉？登立為帝，孰道尚之？

此問何人將上帝推捧上去？當時除上帝之外，既然尚無其他生命，則何人為上帝建築高聳之璜臺？⑩

女媧有體，孰制匠之？

此問萬民之身為女媧所造，女媧之身，卻是何人所作？⑪

日月安屬，列星安陳？出自湯谷，次於蒙汜，自明及晦，所行幾里？夜光何德，死則又育？

此問日月眾星何所繫屬？日之運行，從平旦而出湯谷之中，至夕暮而入太蒙之涯，所行歷之處合計有多少里道？⑫又問月所秉之性，何以能乍暗旋明？⑬

女岐無合，夫焉取九子？伯強何處，惠氣安在？

此由日、月及於星辰，而問九子星（女岐）如何無夫而生九子？又問主風之箕星（伯强）究竟定在何處？⑭

屈原所問天之事，並非反映屈原對上述事物之懷疑，實欲由該等事物之高遠神異、奧妙不測以鑄造一渺茫而不可及之神境。

三

屈原所問地之事，與天問有牽涉。如：

> 東西南北，其修孰多？南北順墮，其衍幾何？崑崙縣圃，其尻安在？增城九重，其高幾里？四方之門，其誰從焉？西北辟啓，何氣通焉？

陳遠新說：

> 因東南而及四方，因東南之傾而及西之高，則東流不溢，與東南之虧，俱可悟矣。且遍四方，無從而入地下之門，又何有所謂八柱乎？……末二句則因地傾東南，而及天傾西北。言若天傾西北，則必辟啓通氣，何嘗有人見之？⑮

依陳氏之說，則天高地低，隔絕而不通。

四

至於屈原所問人之事，則錯綜複雜，溷濁不清。抑世事往往違反常道。如：

> 稷維元子，帝何竺之？投之於冰上，鳥何燠之？何馮弓挾矢，殊能將之？既驚帝切激，何逢長之？

此問周人始祖后稷之傳說。俞樾說：

《詩．生民》篇曰：以赫厥靈，上帝不寧，不康禋祀，居然生子。此言后稷始生之時，赫然若有神靈，上帝亦爲之震動不寧，不康禋祀也。屈子之意，謂后稷之生，既驚帝切激，則上帝宜不祐之，何反使其子孫享國長久乎？⑯

聞一多贊成俞氏之說：

俞樾云：《詩經．生民》曰：以赫厥靈，上帝不寧，不康堙祀，居然生子。言后稷始生之時，赫然若有神靈，致上帝爲之不寧而不康堙祀。本篇「驚帝切激」，即此之謂也。言后稷之生，既使帝驚懼如此，宜爲帝所不祐，何竟令其子孫彊大，享國長久乎？案俞說近是。⑰

由后稷之事，可見天命難測。

天命反側，何罰何佑？齊桓九會，卒然身殺。

此問齊桓公稱霸而不得善終之事。言齊桓既得天祐致霸，何以卒然身殺，而爲天命所罰？⑱可見天命之反側無常。

由以上二事，可見天非止爲一靜止狀態之神境，而實有主宰人間之作用。於是人之視天，不但感其窮高極遠而不可企及，而且深受其約束而不得自由。

五

屈原積極向上之精神異常強烈，常圖衝破天（神）人（民）間隔之障礙，於是遠遊於物外，以期臻於超越之神境。如《離騷》所述：

跪敷衽以陳辭兮，耿吾既得此中正。駟玉虬以乘鷖兮，溘埃風余上征。朝發軔於蒼梧兮，夕余至乎縣圃。欲少留此靈瑣兮，日忽忽其將暮。吾令羲和弭節兮，望崦嵫而勿迫。路曼曼其脩遠兮，吾將上下而求索。飲余馬於咸池兮，總余轡乎扶桑。折若木以拂日兮，聊逍遙以相羊。前望舒使先驅兮，後飛廉使奔屬。鸞皇爲余先戒兮，雷師告余以未具。吾令鳳鳥飛騰兮，繼之以日夜。飄風屯其相離兮，帥雲霓而來御。紛總總其離合兮，斑陸離其上下。吾令帝閽開關兮，倚閶闔而望予。時曖曖其將罷兮，結幽蘭而延佇。世溷濁而不分兮，好蔽美而嫉妒。朝吾將濟於白水兮，登閬風而緤馬。忽反顧以流涕兮，哀高丘之無女。溘吾遊此春宮兮，折瓊枝以繼佩。及榮華之未落兮，相下女之可詒。吾令豐隆乘雲兮，求宓妃之所在。解佩纕以結言兮，吾令蹇脩以爲理。紛總總其離合兮，忽緯繣其難遷。夕歸次於窮石兮，朝濯髮乎洧盤。保厥美以驕傲兮，日康娛以淫遊。雖信美而無禮兮，來違棄而改求。覽相觀於四極兮，周流乎天余乃下。望瑤臺之偃蹇兮，見有娀之佚女。吾令鴆爲媒兮，鴆告余以不好。雄鳩之鳴逝兮，余猶惡其佻巧。心猶豫而狐疑兮，欲自適而不可。鳳皇既受詒兮，恐高辛之先我。欲遠集而無所止兮，聊浮遊以逍遙。及少康之未家兮，留有虞之二姚。理弱而媒拙兮，恐導言之不固。⑲

屈原向重華陳辭後，便乘龍御風而飛升，屢次欲與古代神話中之神靈接觸，但都不能如願：屈原企圖進入天帝之九重宮，但帝閽閉門不納；轉而欲求高丘神女，神女恰不在；到宓妃處求愛，卻遭無禮對待；再到簡狄與二姚居處，則又乏媒說合。凡此皆反映神人之間隔難通。

六

天地神人懸隔之宗教意識原為楚人之傳統。楚人之祖先重與黎世敘天地，分別負責處理天上之神與地下之民，以使神民異業而絕天地通。《山海經・大荒西經》載：

老童生重及黎。帝令重獻上天，令黎邛下地。下地是生噎，處於西極，以行日月星辰之行次。⑳

《周書・呂刑》載：

皇帝哀矜庶戮之不辜，報虐以威，遏絕苗民，無世在下。乃命重、黎絕地天通，罔有降格。㉑

《國語・楚語下》載：

昭王問於觀射父，曰：《周書》所謂重、黎寔使天地不通者，何也？若無然，民將能登天乎？對曰：非此之謂也。古者民神不雜。民之精爽不攜貳者，而又能齊肅衷正，其智能上下比義，其聖能光遠宣朗，其明能光照之，其聰能聽徹之，如是則明神降之，在男曰覡，在女曰巫。是使制神之處位次主，而為之牲器時服，而後使先聖之後之有光烈，而能知山川之號、高祖之主、宗廟之事、昭穆之世、齊敬之勤、禮節之宜、威儀之則、容貌之崇、忠信之質、禋絜之服，而敬恭明神者，以爲之祝。使名姓之後，能知四時之生、犧牲之物、玉帛之類、采服之儀、彝器之量、次主之度、屏攝之位、壇場之所、上下之神、氏姓之出，而心率舊典者爲之宗。於是乎有天地神民類物之官，是謂五官，各司其序，不相亂也。民是以能有忠信，神是以能有明德，民神異業，敬而不瀆，故神降之嘉生，民以物享，禍災不至，求用不匱。及少皞之衰也，九黎亂德，民神雜糅，不可方物。夫人作享，家爲巫史，無有要質。民匱於祀，而不知其福。烝享無度，民神同位。民瀆齊盟，無有嚴威。神狎民則，不蠲其爲。嘉生不降，無物以享。禍災薦臻，莫盡其氣。顓頊受之，乃命南正重司天以屬神，命火正黎司地以屬民，使復舊常，無相侵瀆，是謂絕地天通。其後，三苗復九黎之德，堯復育重、黎之後，不忘舊者，使復典之。以至於夏、商，故重、黎氏世敘天地，而別其分主者也。其在周，程伯休父其後也，當宣王時，失其官守，而爲司馬氏。寵神其祖，以取威於民，曰：重寔上天，黎寔下地。遭世之亂，而莫之能禦也。不然，夫天地成而不變，何比之有？[22]

重、黎絕地天通之神話普遍記載於楚國之歷史中，足見其爲楚人所重視之傳統。又在晚近出土之楚繒書中[23]，神與民一尊一卑，畛域分明。

民勿用坙，▨坙百神。山川澫（萬）浴（谷），不欽之行，民祀不𤵸（莊），帝牺（將）繇以亂▨之行。民則又穀（穀）亾有相擾。不見陵祆，是則荒至。[24]

此論民須敬神，故民神之間不相擾。此正是《國語．楚語》所謂重、黎使神民無相侵瀆而絕地天通之義。

七

「天地神民懸隔既爲楚人所重視之傳統，故屈原於其作品中多所反映。至於《天問》一篇，若聯繫屈原其他作品以及上述楚人傳統而綜合觀之，則不難看出其所表達之神民懸隔以及人受天命限制等宗教意識。如上所述，屈原於《天問》中，乃總括萬物於天而問之。天所總括之萬物包括自然界之天地，古往今來之歷史人物事跡。然則此於無窮之時空中總括萬物之天，實爲一創造萬物之人格神上帝。㉕司馬遷嘗論屈原見疏而憂愁幽思，以至途窮反本以呼天：

夫天者，人之始也；父母者，人之本也。人窮則反本，故勞苦倦極，未嘗不呼天也；疾痛慘怛，未嘗不呼父母也。㉖

人窮反本而呼天，此一呼求固出於宗教之情；至若屈原鬱極難伸而問天，則感於天地神民之懸隔而通達無門，其宗教意識之强烈更有甚於呼天之情。

【附註】

① 參考游國恩主編《天問纂義》（北京：中華書局，一九八二），頁八～九。

② 洪興祖《楚辭補注》（北京：中華書局用四部備要據汲古閣宋刻洪本排校紙型重印，一九五八），頁一

四三～一四四。

③《楚辭通釋》（香港：中華書局，一九六〇），頁四六。

④參考李陳玉《楚辭箋注》（清刻本）。

⑤以上錯簡之考訂，參考黃永年《釋天問——兼及戰國時楚人的歷史觀念》，見黃氏主編《古代文獻研究集林》第一集（西安：陝西師範大學出版社，一九八九），頁一～二七。又本文所據以考訂之《天問》底本，係用上揭洪興祖，《楚辭補注》，頁一四四～一九三。

⑥參考洪興祖，前揭書，頁一四五；游國恩，前揭書，頁二二；黃永年，前揭書，頁六。

⑦陰陽三合，謂陰陽二氣參錯會合。參考汪仲弘說。汪氏之說附見於汪瑗《楚辭集解》（明刊本，日本上野圖書館藏本影片）。

⑧參考黃永年，前揭書，頁六～七。

⑨參考黃永年，前揭書，頁七。

⑩參考黃永年，前揭書，頁七～八。

⑪參考聞一多《天問疏證》（北京：三聯書店，一九八〇），頁七五。

⑫參考汪瑗，前揭書所附汪仲弘說。

⑬參考王夫之，前揭書，頁四八。

⑭參考聞一多，前揭書，頁一～一五。

⑮《屈子說志》（清乾隆年間慎余齋刊本）。

⑯《讀楚辭》，見《俞樓雜纂》（《春在堂全書》本，光緒二八年）。

⑰聞一多，前揭書，頁一〇四。

⑱參考李陳玉，前揭書。

⑲洪興祖，前揭書，頁四三～五六。

⑳見郝懿行《山海經箋疏》（成都：巴蜀書社據光緒十二年上海還讀樓校刊本影印，一九八五），第一六，頁五b～六a。

㉑見《尚書注疏》（北京：中華書局《十三經注疏》本，一九五七），頁七一〇～七一二。

㉒見《國語・楚語下》（上海：古籍出版社，一九七八），卷一八，頁五五九～五六四。

㉓關於楚繒書，參考安志敏、陳公柔《長沙戰國繒書及其有關問題》，見《文物》一九六三年第九期，頁四八～六〇；商承祚《戰國楚帛書述略》，見《文物》一九六四年第九期，頁八～二〇。

㉔此段繒書釋文，參考饒宗頤《楚繒書疏證》，見《中央研究院歷史語言研究所集刊》上冊，一九六八年第四〇本，頁二九。

㉕此楚人之上帝，即《九歌・東皇太一》所祭之太一神。按太一爲上帝之稱，參考《文選・李善注》（臺北：藝文印書館影印胡克家仿宋本，一九五七），頁三〇六；聞一多《神話與詩》，見《聞一多全集》（上海：開明書店，一九四八），甲，頁二六七；文崇一《九歌中的上帝與自然神》，見中央研究院《

民族學研究所集刊》第一七期（一九六四年春季），頁四九～五九。

㉖《史記・屈原賈生列傳》（北京：商務印書館縮印百衲本，一九五八），八四，頁八六九。

《國際屈原學術討論會》所呈論文　一九九二年十月

玖、宋儒的道德形上學在中國哲學史上的地位

一

中國文化以兼容并包見稱。宋儒的道德形上學自南宋以降成爲儒學的主流。它在中國哲學史上的地位可由四方面決定：一、它和先秦儒學的傳承關係，二、它和道家的關係，三、它和佛學的交涉，四、它對後世的影響，特別對中國哲學融攝西方道德哲學所作的貢獻。以下試分別論列。

二—(1)

儒、道、佛都從事於探索和人生關係密切的心性問題。欲了解宋儒的道德形上學和它以前的儒、道、佛的關係，須略作一歷史的回顧。

先秦儒學以心性爲實踐道德的可能根據，并以主體的心性與客體的天道相貫通爲宗旨。孔子踐仁知天。①他契知天命後便不憂。因爲知命則樂天，又有何憂可言？②不憂便是仁者的境界。③孔子在

此未把仁只限於人之道，把天只限爲人格神的天，也未嘗不體會主體之仁道與客體之天道的合一。雖然，孔子並未明確地說天就是形而上的實體，也未明顯地說仁的內容意義和這實體爲同一，而可以由道德實踐去證實這實體的確實意蘊。

孟子本孔子而說盡心知性知天。④孟子在此也未把心性限於人的範圍內。孟子說：「萬物皆備於我」。⑤可見他所體悟的心性的絕對普遍性並不虛歉。孟子也未把天只限爲人格神或氣命的天，他沒有指出主體的心性不能和客體的天道的合一。雖然孟子也未明確地說天就是形而上的實體，也未明顯地說心性同一於此實體。

孔、孟雖未確定天爲形而上實體，而明顯地說仁、心、性的內容意義和形而上實體爲同一。但二人都以仁、心、性爲一切德行的根據，這是確定而不易的。於是由仁、心、性所貫徹的萬事萬物（包括行爲物和存在物）都直接能保住它們的道德價值的意義。在此處，萬事萬物都是「在其自己」的萬事萬物。⑥具體地說，任何個體之物，不但是人，它本身就是一目的，而不是一工具。把物看作一目的，那麼，它就是「在其自己」的物而具有道德的意義。孔子由仁貫徹事物之在其自己，是透過知的直覺作用。

樊遲問仁。子曰：愛人。問知。子曰：知人。樊遲未達。子曰：舉直錯諸枉，能使枉者直。樊遲退，見子夏。曰：鄉也吾見於夫子而問知，子曰，舉直錯諸枉，能使枉者直，何謂也？子夏曰：富哉言乎！舜有天下，選於衆，舉皋陶，不仁者遠矣；湯有天下，選於衆，舉伊尹，不仁者遠矣。⑦

孔子將知聯繫於人的主體之仁，故此知（智）的知人，不是知人的外貌，而是「舉直錯諸枉，能使枉者直」，就如舜舉臯陶，湯舉伊尹以使不仁者遠離。此表示仁體所呈現的知用直澈至人的內在生命，並能成全人的內在生命。這可說是一種道德的創生。仁體的知用能顯示道德的創生，這一知用即孟子所說的良知⑧，宋儒張載所說的德性之知⑨，也相當於康德所說的「智的直覺」。⑩

在孔、孟稍後的《中庸》和《易傳》於天爲形而上實體的意義，則有進一步的體會和落實。它們開始正式客觀地把孟子所說的心性澈至形而上實體處。它們都以天道爲生物不測的創生實體，並且由此實體以契證心性實體⑪，而與孔子的仁和孟子的心性融合爲一。⑫

先秦儒家固以主體的心性與客體的天道相貫通爲宗旨，但此一貫通須藉切實的道德踐履而加以默識。故如非有充實的道德生命，即不足以彰顯此一義理。孔子之時，子貢已有「夫子之言性與天道不可得而聞」的感嘆⑬，即可知此中消息。兩漢儒者以傳經爲業。⑭這是從先秦儒家繞出去，以古代經典爲準則，而不復以孔、孟生命智慧的基本方向爲基準。於是對心性與天道相貫通的慧命便接不上。到魏晉之際，玄學代興，儒家的局部的精神面貌竟須藉道家而顯示。

二—(2)

先秦道家注重從虛無與自然以體會「道」。道家以爲人生的病痛在於主觀的造作。造作即不自然。造作的根源在心。故道家强調在心理意義的心上作「致虛守靜」的工夫。⑮致虛守靜之極致，即能復其生命或存在之自然而無造作。所謂自然，是從表詮上說生命循常度；至於所謂無造作，則從遮詮上說生命不浮動而爲「無」。從生命體會「自然」與「無」，便是所謂「道」。生命復因「道」而得其永恆無限的意義。若從本體界的存有論方面說，在虛靜中，觀復以歸根、復命、知常，即是由虛靜所生之「明」，而無執著以朗照（智的直覺）萬物之各在其自己。物自身既由「無」的境界而現，則「無」可視爲本體。但「無」之爲本體，並無客觀的實體性的意義。⑯如果以具有客觀的實體性意義的本體爲第一序的體，則根於「無」或自然的境界而虛說的本體，只可視爲第二序之境界的體。這第二序的體既由「無」的境界而立，所以只能從遮詮上說。

魏晉之時，儒家每況愈下，它的精神本質愈不爲人所知。當時玄學盛行，以言不盡意遮詮本末、體用之旨。玄學家王弼（二二六—二四九）即以第二序的體會通孔、老。⑰王弼以爲聖人孔子眞能達到「無」的境界。老子則只處在「有」的境界而不能渾化，故常言無所不足。實則孔子默識仁之爲體，這是存在上或第一序的體。至於孔子踐仁而達到無言的渾化境界⑱，足以繁興大用。對於此繁興大用之爲「用」、爲「末」言，則此「無」的境界即爲「體」、爲「本」。此「無」之爲體是境界上或第二序的體。王弼說聖人體無，只從境界知孔子以「無」爲本、爲體，以爲孔子之所體即老子之所言。不知還有第一序或存在上的體。依王弼的體會，則「無」所顯之「用」只流爲主觀的應迹，而無客觀積極的價值。⑲儒家所體認的第一序的體，自《中庸》、《易傳》以後，本已隱沒不彰。王弼忽視此第一序的體亦不足爲怪。但王弼以道家之說豁醒聖人的境界，則較漢儒徒然視孔子爲傳經之一媒介人物爲值得重視。王弼的境界上的體用觀不特豁醒儒家的局部精神面貌，而且還足以會通佛學而爲同一系統的體用。這一系統的體用觀直貫魏晉南北朝隋唐，成爲七八百年的中心觀念。⑳

二—(3)

佛學藉魏晉玄學所講體用爲媒介而大盛於中國。按原始佛學對人生的困惱苦迫有深切的感受。釋迦的出家、成佛、說法的動機，不外於爲己的「出離心」，爲他的「悲愍法」。他以爲現實的苦迫，唯有究明事物的因果關係才能得其解脫。所以原始佛學即以因果相關的緣起論爲根本論題。印度佛學以空、有二宗爲主。空、有二宗只說及物自身，而未說明此物自身何所依止。更未由物自身之所依止而肯定心爲本體或實體。空宗講緣起性空，即以緣起無自性爲一切法的自性。具體地說，此「無自性」爲一切法的實相、如相，也即是物之在其自己或物自身。空宗所講的物自身只可由後天的修行加以認識。㉑至於對一切法的存在，《般若經》雖說般若具足一切法㉒，這不過是在般若智的作用中具足而成就一切法。這是作用的、水平的具足，而不是存有論的、豎生的具足。所以《般若經》只憑藉現成已有之法，而說般若的妙用，其實並未予一切法以一根源的說明。㉓有宗（唯識）所顯圓成實性㉔，只是識的流變之眞如空性。此空性之如也就是物自身。此物自身也不和眞心聯繫。因唯識宗講轉識成智，智與淨識爲一㉕，乃經後天的修行覺悟，而非在根本上肯定一超越眞心爲佛性（實體）。又唯識宗對一切法想以阿賴耶說明，這是所謂「阿賴耶緣起」。㉖但阿賴耶本質上是染污的，由此只能說明有漏法，不能說明清淨無漏法。這是玄奘所傳「虛妄唯識」一系的思想。可見印度原有的空、有二宗皆未就物自身以肯認一眞實本體，亦未對一切法的根源有圓滿的說明。

但中國早期所傳的唯識學，如眞諦所傳《攝大乘論》却想在阿賴耶處推進一步，而講一超越的眞心。㉗這一想法後來演變而結集在《大乘起信論》，構成中國佛學的性宗，正式肯定眞心爲佛性。㉘中國性宗的演變，實歷經漢、魏、兩晉、南北朝、隋、唐，幷融攝儒、道講體用而成。

佛學在漢末傳入中國，當時道術流行。道術據陰陽家和道家的思想構成宇宙論。㉙漢代佛學受此影響，以元氣合五陰（蘊），以四大合五行，而講宇宙發生論。㉚另一方面，支婁迦讖用格義法，以「本無」譯般若諸經所盛言的空性、如性。㉛此即物自身。但此譯名易引起誤會。人們把它和老子的「天」混爲一談，再聯繫到宇宙發生論，把本字理解爲本末之「本」。以爲萬物是從「無」而產生。㉜

魏晉時，佛學結合般若學的掃除名相與玄學的寄言出意、得意忘言而講本無。南北朝之初，竺道生（三五五～四三四）更不拘文句，直指心性。㉝後來竟由「頓悟」而講成佛之道。謝靈運（三八五～四三三）著《辨宗論》，旨在辨「求宗之悟」。求宗猶言「證體」。即辨證「體」之方法，也就是辨成佛之道。謝靈運採道生之說，謂聖人不可學但能至。㉞按魏晉玄學傳統謂聖人不可學，亦不可至。印度傳統則謂聖人可學亦可至。道生以頓悟說加以折衷，謂聖人可至，但非由積學所成，而要在頓得自悟。㉟道生既主張由頓悟成佛，則成佛所根據的佛性必不可分。要得到它，必須完整，立即地得到，不能分期、分批或逐步地得到。這完整、立即得到的佛性即是完整圓滿的精神性的實體。又佛既可由頓悟而至，則人人可以成佛而先天內在地具有這完整圓滿的精神實體。㊱

道生肯定人人有佛性，不合法顯（約三三七～四二二）所譯六卷《泥洹經》之旨。他主張頓悟成佛，除在方法上受魏晉以來講得意忘言的影響外，也可能在義理上受先秦儒者孟子由性善而講人人可以爲堯舜的啓示。㊲自佛學言，道生的佛性論與後來曇無讖譯四十卷本《大般涅槃經》相合，這是大乘契經講如來藏的系統。此系統藉佛性觀念說明成佛的超越根據。因此佛性不只是眞如空理，而是如來藏自性清淨心，亦即一切染淨諸法所憑依的超越的眞心。又此系統在印度無顯赫的宗論。在中國却有一根據此系的契經而成的《大乘起信論》。今已公認此論爲中國人所僞造。但自其義理有據言，則無所謂僞。㊳此論在義理上除依據印度大乘契經所講如來藏的系統外，亦承道生以降中國佛學所受儒、道思想的影響，於是綜合融攝而成立中國的性宗。

《起信論》所肯定的超越的眞心，如依道生講頓悟的傳統，則須由先天的本覺加以體悟。這便是「眞心本覺說」。它認爲衆生的心原本離開妄念（識）而自有它的「體」。這個「體」便是「眞心」。它以智慧爲本性，故可以看成本覺。在論中形容眞心爲大智慧光明、遍照世界、眞實識知，乃至具足過於恆沙不思議功德。心眞如既具足無漏性功德，故能有熏習衆生，使它們覺悟向上（厭生死苦、樂求涅槃）的作用。㊴

華嚴宗把《起信論》所講的體用稱為「性起」。性為體，起為用。此性為「體」是承《起信論》如來藏眞心說。所以賢首（六四三～七一二）即由此說「如來藏緣起」。華嚴宗也開展中國所傳前期唯識學。它將唯識宗所說的圓成實性（眞實性）攝於如來藏自性清淨心上。此眞心在迷時能生九界，即隨緣生起一切染淨法，而自身的自性清淨則不變。此即所謂「隨緣不變，不變隨緣」。㊵嚴格地說，染淨法的起現，它直接的生因是執念，而非眞心。眞心只是執念起現的憑依因。染淨法因憑依眞心而起，便間接地說眞心隨染淨之緣而起染淨之法。眞心既間接地、被憑依地隨緣起現，則所隨的緣即非決定的，而只是偶然的。所謂眞心為一切法之所依止（憑依），此處所說的「一切」，也是籠統地說。此外，在「隨緣不變」說中，眞心和執念（無明煩惱）「體別」而不相即，必須眞妄和合才生九界。既本不相即而使它們和合，即不圓融。㊶所以在現實的層面上，華嚴宗的性起說不能圓足地說明一切法的根源。

就理想層面說，當眞心在悟時，即在還滅歸眞時，則須破九界。眞心既須破九界而後顯現，則眞心如何能攝具一切法（大緣起陀羅尼）？這必須從「神通變現的性起」來說。㊷這種在還滅工夫上因圓果滿的體用，是行修所達到的虛繫無礙的體用，不是宇宙論和存有論的實體創生的體用。所以眞心只停留在大緣起陀羅尼法的虛繫無礙的境界，而沒有道德創造以成就道德行為的實事。具體地說，眞心之用（智的直覺），只對無明識念了解為當體即如（物自身），并對它作當體即如的滅度淨化，而不能作道德創造的淨化。㊸

天台宗並不在現實上預設一眞心，也不在理想層面講還滅。它卻詭譎地在圓頓止觀中由法性心以顯示心體，並且「從無住本立一切法」。㊹因爲法性無住，這表示迷時法性即無明，則智隱識現，即念具三千㊺；但無明也是無住，這表示悟時無明即法性，則轉念爲智，即智具三千。㊻迷則三千皆染，悟則三千皆淨。所以三千不改，都是本具的「性德」。可見天台宗說明一切法的依止比華嚴宗來得圓融。天台宗在圓頓止觀中如實知「即空、即假、即中」而證實相（物自身）。具體地說，這如實知的主體便是如來眞心。這眞如心作爲本體的作用，也只限於返流還滅的行修，即停留在「即空、即假、即中」的虛繫無礙的境界，而不能像心性的道德實體足以成就道德的實事。

總之，中國佛學所講的眞心，不論是華嚴宗由分解所得的眞心，抑或天台宗由圓頓所得的眞心，大體言之，都由「緣起性空」所指示的定向來決定。所以眞心之體所表現的大用（智的直覺），只能體認無明識念所起的生滅法爲當體即如（物自身）㊼，並對此物自身及眞心無礙作種種贊美。但此眞心及物自身的無礙只是虛繫而未落實。因爲眞心只是在苦業意識下，以無別智對無明識念所起的虛妄染污，作往後返的滅度或當體即如的滅度的淨化，而不是向前的創造的淨化。其所以如此，關鍵在於眞心之體未貫以道德義而成爲道德創造的眞實體。㊽於是由眞心之體所生發的智的直覺，它的力量便顯得不足夠。

二—(4)

儒家肯認人的內在道德心性爲本體（實體）。此本體自主自律，自給普遍法則（天理），以決定人的行爲，而成就道德行爲的實事。所以儒家直接由道德意識以呈露內在的道德實體。這所呈露的實體直接是道德的，同時也是形上學的。這便是心性與天道相貫通的道德形上學。如上所述，儒家所肯認的道德形上學在先秦時只是具體而微，且自漢魏以降，儒家本身對此一道德形上學並未作進一步的發展。但經魏晉玄學與南北朝、隋、唐佛學對體用之學的長期講習，於是在形式上刺激儒家道德形上學的復興。宋代的道德形上學即承中國佛學在形式上或境界上講體用的潮流而起，復以先秦儒學所講道德實體充實而融攝佛、道。以下試論列它的發展和演變。特別注重它在精神本質上與佛、道的差異。至於彼此在形式上的相似，則不須多說。

三—(1)

先秦儒者孔子和孟子由仁、心的內在道德意識自覺地呈露內在的道德實體，進而由超自覺體悟形而上實體。《中庸》、《易傳》則由客觀的形而上實體回歸孔、孟所講的主觀方面的道德實體。宋學初起，爲了彰顯久已式微的本體宇宙論，周敦頤（一〇一七～一〇七三）、張載（一〇二〇～一〇七七）便先從《中庸》、《易傳》入，後雖回歸孔、孟，但主觀方面略嫌不足。中期的程顥（一〇三二～一〇八五）能圓融孔、孟的主觀方面與《中庸》、《易傳》的客觀方面而講「一本」之學。南宋初期的胡宏（一一〇五～一一五五）則從《中庸》、《易傳》講性體，再由主觀方面的心體以形著性體

。以上宋學三系最足代表宋儒所講的道德形上學的體系。㊾

三—(2)

周敦頤先從《中庸》、《易傳》體會形而上本體。

誠者，聖人之本。「大哉乾元，萬物資始」，誠之源也。「乾道變化，各正性命」，誠斯立焉。純粹至善者也。故曰：「一陰一陽之謂道，繼之者善也，成之者性也」。「元亨」，誠之通；「利貞」，誠之復。大哉《易》也，性命之源乎！㊿

周敦頤由《中庸》的誠顯示《易傳・乾・彖》所說「乾道」。乾道即形而上實體。誠本眞實無妄的意思，是一形容詞。但它由誠實不二，進而指目到實體的創造活動。(51)所以誠可轉爲名詞而成實體（誠體）。誠既爲實體，則一切事物都由誠體成始而成終。(52)由誠體成始而成終，便是誠體貫澈到一切事物之中而成全它們。在這個成始成終的過程中，事物得以完成而成就爲事物，即成就爲一具體而眞實的存在（物自身）。如果把誠體撤銷，則事物便不能完成而成就爲事物，不能完成它們的存在，而歸於虛無。(53)這樣便成爲無始無終。從實體上說，是誠體的創造活動；從軌跡上說，是始終的過程；從成果上說，是事事物物。這種說法，便把事物規定爲一特殊的始終過程，或把事物規定爲在一特殊軌跡中表現的誠體創造的特殊滿足（完成）。這種規定是豎生的宇宙論的規定。因爲誠體對一切事物的成始成終，便是一宇宙論的規定。(54)《中庸》所說的誠既爲豎生的宇宙論的實體，周敦頤以此誠體說

《易・乾・彖》的乾道，則乾道爲形而上實體，自亦具有豎生、直貫的創生義。

周敦頤綜合《中庸》、《易傳》而講形而上實體，實具有重大的意義：一則醒豁誠體的創生義。《中庸》所講的誠，雖本蘊具此義，但不明顯。周敦頤會合《易傳・乾・彖》的乾道而具體言之：說誠體成就一切事物的終始過程爲「一陰一陽之謂道」。這表示誠道或乾道的具體創造憑藉陰陽的無間暢通而得有一具體的始終過程。在乾道變化中，在元亨處，所謂「誠之源」處，便見有陽之申；在利貞處，所謂「誠斯立」處，便見有陰之聚。這足以豁醒誠體的創造是一有軌跡可見的始終過程。其次，周敦頤所肯認的誠體或乾道既爲豎生直貫的形而上實體，則意味周敦頤所說的實體與事物的體用關係，不像中國佛學所說眞心與物自身所成的虛繫無礙的關係。

誠體之所以爲豎生直貫的形而上實體，是由於周敦頤貫以道德義，而使它成爲道德創造的眞實體。周敦頤在引〈乾・彖〉：「一陰一陽之謂道」之後，接著再引它的下文說：「繼之者善也，成之者性也」。這表示誠道（乾道）由陰陽表現具體的創造過程而不間斷即是善。他把道德的善貫注於宇宙論的創造活動之中。所謂「成之者性也」，是就個體說，也即落在個體上而能完成（成就）這創生實體的便是個體的「性」。這就是以人人本有的誠體爲性。個體有這創造活動的性，所以能完成這創生實體在它自己的生命中。個體既能完成創生實體於自己的生命中，而即以這實體爲人的性，由此貫通性命與天道實體，並且建立人人都可體現這實體以達至成聖境界的根據。

個體體現天道實體以達至成聖之道的具體內容不外乎仁義中正。

聖人之道，仁義中正而已矣。守之貴，行之利，廓之配天地。豈不易簡？豈爲難知？不守、不行、不廓耳。55

上文講誠體爲天道實體，只是籠統地說誠體爲道德創造的根源，它並無特殊分際上的特定內容。但此處所說仁義中正則是從現實生活中行事的分際而表現。這些是人在日常行事分際上的幾個普遍規則。由這些規則，便可使人眞實成就德行。人在日常中實踐仁義中正是至爲簡易和易知的事。若有人以爲難，那是由於不守、不行、不廓而已。這說明聖人的境界不但人人可至，而且達到聖人之境並不繁難。人如願實踐道德，便可達到。後來程頤（一〇三三～一一〇七）即本此而講聖人可學而至。56這是宋學的一貫精神。它雖對道生所講的「聖人可至，但非由積學而成」有所傳承，但它却更接近先秦儒學「人人可以踐仁、盡心以成聖」的傳統。

周敦頤除綜合《中庸》和《易傳》以說誠體、乾道爲形而上實體之外，復以太極爲此實體的實現原理。

無極而太極。太極動而生陽。動極而靜，靜而生陰。靜極復動。一動一靜，互爲其根。分陰分陽，兩儀立焉。陽變陰合，而生水火木金土。五氣順布，四時行焉。五行一陰陽也，陰陽一太極也，太極本無極也。五行之生也，各一其性。無極之眞，二五之精，妙合而凝。乾道成男，坤道成女。二氣交感，化生萬物。萬物生生，而變化無窮焉。惟人也，得其秀而最靈。形既生矣，神發知矣，五性感動，而善惡分，萬事出矣。聖人定之以中正仁義而主靜，立人極焉。故聖人與天地合其德，日月合其明，四時合其序，鬼神合其吉凶。君子修之，吉；小人悖之，凶。故曰：立天之道曰陰與陽，立地之道曰柔與剛，立人之道曰仁與義。㊼

周敦頤在《太極圖說》所說的太極，正與他在《通書》所說的誠體與乾道同調，都是先肯認客觀的實體，而歸於天人合一之旨。近人黃秀璣（Siu-chi Huang）說周敦頤講太極與誠，所以復興儒學對宇宙論的觀點，他的貢獻甚有意義。㊽黃氏的論斷，可謂至確。㊾

三—(3)

張載也是先說客觀的天道，再以人道去體證天道的創造活動。

天道四時行，百物生，無非至教。聖人之動，無非至德。夫何言哉？天體物不遺，猶仁體事無不在也。禮儀三百，威儀三千，無一物而非仁也。昊天曰明，及爾出王（往），昊天曰旦，及爾遊衍，無一物之不體也。㊿

張載以聖人的道德創造活動和天道創造萬物活動相對顯。他引《詩・大雅・板》顯示天道「昊天曰明一而遍照一切，遍臨一切。人不論出往或遊衍，都在昊天的照臨之中，人因而得以戒慎不墮。所謂「無一物之不體」，即沒有任何事物不因之而生的意思。《大雅・板》之詩雖只說昊天鑒臨在上，表面上看沒有能夠創生的意思；但張載引用這詩句而用「無一物之不體」加以點撥。「無一物之不體」，即「體物而不可遺」。這是依《中庸》而說天道的功用。[61]張載既把《詩》所說昊天之明和《中庸》

所說天道的作用相聯繫，則表示沒有任何事物不蒙天道的作用而實現的意思。所以天道可以看作一形而上的實現原理。天道之爲實現原理，可由聖人之仁「體事無不在」加以體證。聖人之仁，落於日用，則所謂「禮儀三百，威儀三千」，此實人人可踐履的事。

天道之實現萬物及人道之足以體證天道，可以更具體加以說明。

天之明莫大於日，故有目接之，不知其幾萬里之高也；天之聲莫大於雷霆，故有耳屬之，莫知其幾萬里之遠也；天之不禦莫大於太虛，故心知廓之，莫究其極也。㉒

「天之不禦」即顯示天道實現萬物的無窮作用。「不禦」是據《易・繫辭上》：「夫易廣矣、大矣，以言乎遠則不禦」而說。㉓天道之實現萬物，怎能這樣無窮無盡（不禦）？這是由於天道至虛，故能生出無窮的作用。這是從客觀方面說。如果只從客觀方面說天道的無窮作用，則只有形式而無具體眞實的意義。「心知廓之，莫究其極」，則從主觀方面以「心知」的誠明去彰顯天道實現萬物的不禦，並且加以證實，於是天道的實現活動得以具體而眞實。「心知」的「廓之」活動，相應於天道實現萬物的「不禦」而加以印定。發出這種心知的主體即是孟子所說的本心，也即是道德創生的心。張載以心體的道德創造活動去彰著天道的實現萬物，可見他從《中庸》、《易傳》而回歸於孟子。張載更進一步闡發本心的大用。

人病其以耳目見聞累其心，而不務盡其心，故思盡其心者，必知心所從來而後能。耳目雖爲性累，然合內外之德，知其爲啓之之要也。㉔

人如果能充分實現他的本心，則耳目不特不足爲累，反爲本心所用。於是本心的知用便化除能所，而綜合內外之德。

人謂己有知，由耳目有受也；人之有受，由內外之合也。知合內外於耳目之外，則其知也過人遠矣。⑥⑤

人由耳目有受而所得的是見聞之知。這種知也可說是合內外，但它是感觸的、有限的。即它在能所的關係中，作認知和關聯的綜合。至於「知合內外於耳目之外，則其知也過人遠矣」。此種知不只是遠近的程度問題，它根本是另一種知。張載稱它爲「德性之知」。

見聞之知，乃物交而知，非德性所知；德性所知，不萌於見聞。⑥⑥

見聞之知與德性之知的區分自張載始。張載所說的德性之知即相當於康德所說的智的直覺。康德以爲只有上帝才具有智的直覺，人則不可能具有。⑥⑦但儒家自孔、孟以降都從人的道德實踐中切實體認這一種智。張載則更能深入地加以體驗。他說德性所知不萌於見聞，即顯示德性之知是本心的直覺知用。它無特定的經驗內容作爲對象，而只是道德本心至大無外的呈現。本心的充量呈現而自顯它的自律、自有天則的朗潤、遍照和曲成。所以它不爲經驗所囿。萬物在本心知用的朗照中，不是以認知的對象出現，而是以「物自身」的姿態出現。所以本心朗照之知，是無所不知而實無一知。但萬物却全在它朗照的明澈中，它就萬物的「物自身」的層面而加以明澈。它不是透過範疇而思萬物的曲折、普遍的性相。它也不是透過感觸直覺而經驗地去知萬物的特殊內容。如果只有思和知的活動，則所思、所知便成爲對象，也就是所謂現象。但本心的朗照之知，它就萬物爲「物自身」而加以朗現。此朗現的活動也就是創生的活動。此本心的創生活動即所以印證天道實體的創造。

三—(4)

程顥對於主觀的心性實體與客觀的天道實體，更能圓融而「一本」地講。

> 嘗喻以心知天，猶居京師往長安，但知出西門，便可到長安。此猶是言作兩處。若要誠實，只在京師，便是到長安，更不可別求長安。只心便是天，盡之便知性，知性便知天（一作「性便是天」），當處便認取，更不可外求。⑱

明道既從「一本」講心性與天道，則天道之中即有心性。

> 天理云者，這一個道理，更有甚窮已？不爲堯存，不爲桀亡。人得之者，故大行不加，窮居不損。這上頭來，更怎生說得存亡加減？是佗元無少見，百理俱備。（胡本此下云：「得這個天理，是謂大人。以其道變通無窮，故謂之聖。不疾而速，不行而至，須默而識之處，故謂之神」。⑲

說天理無存亡加減，即表示天理永恆而自存。無加減是就人得之而爲性說。天理即人性。此人性依孟子說統，則人人圓滿無缺，不因大行而增加，也不因窮居而減損。⑳此落實於人性的天理即是本體論的實有。

所以謂萬物一體者，皆有此理。只爲從那裡來。「生生之謂易」，生則一時生，皆完此理。人則能推，物則氣昏，推不得，不可道他物不與有也。人只爲自私，將自家軀殼上頭起意，故看得道理小了佗底。放這身來，都在萬物中一例看，大小大快活！⑪

程顥所說的「理」，在形式上或不免受華嚴宗的影響。⑫但在內容上，他是扣緊宇宙論的創生和道德創造的實體來說。所以他有時自覺地在理上加一「天」字，如以上引文所示。在程顥看來，天理的宇宙論創生活動無所不在，萬物即因此得到它們的存在性。不但人具備這一創造性，物也如此。但只有人能推。具體地說，人能充量實現他的性。至於盡性的關鍵則在盡心。人一旦充量實現他的本心，則能體現道德的創造活動，於是人能彰顯天理而使它燦然明著。所以這是動態地體會天理是宇宙論的創生和道德創造實體。綜合這方面的天理和上面所講的本體論實體的天理，則可以說：天理作爲本體論的實有與天理作爲宇宙論的創生活動是同一的。這顯示天理既是存有，也是活動；是即存有即活動的，不是只存有而不活動的「只是理」而已。這即存有即活動的天理便是創造的實體或實現之理。它能給予萬物「存在性」。這存在性是人以至萬物的「眞自己」（物自身）。程顥深切地講天道（理）性命相貫通，即透過「性」的觀念來契悟人和萬物的「物自身」，同時契證天道的實義。對人來說，由於盡心、盡性而能推以契接天道的創造，則天道的創造活動固然因此而具道德的意義，即人的存在性也由此而具形而上和道德的實體義。程顥以及一般宋儒由具形而上和道德實體的「性」以契悟人和萬物的眞自己。此眞自己（物自身）便具道德的意義。由於性命和天道相貫通，則由此所透顯的物自身和創造實體的關係，便不像道家所說由心境的虛靜（無）以朗照萬物之在其自己，也不類佛家所說的眞心與萬法實相的虛繫關係，而是道德創造實體對物自身的透澈直貫。這是宋代道德形上學依先秦以來儒家義理以融攝道佛二家而進一步發展的結果。

宋儒由創生的性體來契證人和萬物的物自身，康德則從意志的自律、自由來契悟物自身。⑬彼此雖同一路數，但從性體說，更見綜攝而眞切。因爲「性」更切合於「物自身」。它更能表示通體達用，使道德創造成爲定然和必然，即爲眞實的呈現。但也因此更爲複雜，因爲其中含有心、理的問題。良知和意志自然也包括在內。所以程顥說：

> 良能、良知皆無所由，乃出於天，不繫於人。⑭

良知（自由意志）良能是性體所發。性既與天道相貫通，所以良知、良能出於天。至於和良知相對顯的見聞之知則是人的後天經驗。後天的經驗知識繫於人的感觸或認知活動，天德良知（德性之知）則不假見聞，所以不繫於人。康德雖然也是由意志自由（良知）以契證物自身，但他却視意志自由爲「神智」。它不是人所能理解的。⑮

又程顥從「一本」講「只心便是天」，顯示他對孟子所講主觀的心體和《中庸》、《易傳》所講客觀的天道實體有圓融的體悟。其弟程頤則以「聖人本天，釋氏本心」來判儒佛。

> 書言天敍、天秩。天有是理，聖人循而行之，所謂道也。聖人本天，釋氏本心。⑯

程頤說聖人本天，抹煞儒家聖人以心體道德創造活動契證天道實體，於是天只是本體論的存有，而沒有宇宙論的創生意義。後來朱熹（一一三〇～一二〇〇）承此學說，不但以爲天道只是存有而不活動，且以程顥後學依圓頓進路講「一本」爲禪⑰，則愈說愈遠。其實，儒家聖人不但本天，而且也本心。但儒家聖人所本的心爲能起道德創造的實體，而不像佛家所本的阿賴耶的識心或如來藏自性清淨心。佛家所說的心，不論是識心或如來藏自性清淨心，都沒有以道德的、實體性的天道加以充實。

三——(5)

上文論述宋儒由創生的性體以契證人和萬物的眞自己。在性體之中，包含心、理的內容。胡宏即進一步以心著性。

有而不能無者，性之謂歟？宰物不死者，心之謂歟？感而無息者，誠之謂歟？⑱

首句針對佛家而說性。胡宏承宋初諸儒周敦頤、張載的傳統，從本體宇宙論以體認「性」爲實體。它所顯發的理是實理、天理，從而充實佛家所說的空性、空理。佛家從緣起的立場講萬法無自性。宋初諸儒則從本體宇宙論的實體所顯發的道德實理、天理而說性。所以「性」是客觀性原則。這和孟子從主觀，也即從人的內在道德性說性，有進路上的不同。胡宏從客觀所說的性，也是自性原則。

大哉性乎！萬理具焉，天地由此而立矣……萬物皆性所有也。⑲

此顯示一切行用、存在都因「性」而得到它們的客觀性，也因此而得到它們的自性（物自身）。性也可以說是存在原則。它是一切事物存在的存在性。性也可以說是實現原則。因爲性作爲實體，是即存有即活動的實體，而不是只存有不活動的「但理」。

胡宏接著說心是一切事物的主宰。性既是客觀性原則，則非心不足以使它彰顯。心能彰著性，所以心是主觀性原則，也是形著原則。胡宏以心著性，則使客觀層面的性與主觀層面的心融合爲一。

聖人指明其體曰性，指明其用曰心。性不能不動，動則心矣。聖人傳心，教天下以仁也。⑳

形而上實體的道至爲隱微，人不知它的實際本質，所以用「性」加以彰顯。即以性爲道的本質，而加以充實并使道具體化。於是性便足以指目道的自體、當體自己，以至以性代表道（性體）。這便是所謂「指明其體曰性」。至於「指明其用曰心」，則就性體的創造活動說「用」、說「心」。這是客觀地順「體」而說。心之名既立，如從心的創造活動意義，即心自己而主觀地說，則心的創造活動的「用」，便是形著之用。即形著性體之所以創造不已而爲形而上實體。

胡宏以心著性而彰顯心體的道德創造，即意識到《中庸》、《易傳》從形而上說性體與孟子從內在道德心說性的會合，所以他說：「聖人傳心，教天下以仁」。胡宏進而更具體顯示心體彰著性體的大用。

性，天下之大本也。堯、舜、禹、湯、文王、仲尼六君子先後相詔，必曰心，而不曰性，何也？曰：心也者，知天地，宰萬物，以成性者也。六君子，盡心者也。故能立天下之大本。㉛

知是主的意思。心能主天地而宰萬物。它的主宰作用即張載所說的德性之知，亦即康德所說的智的直覺。由心所發的智的直覺具有本體宇宙論的直貫和通澈的意義，不是認識論的認知義。具體地說，心的智的直覺所表現的主宰作用，在於它對萬物的照澈和通澈，這是立體直貫地加以照澈和通澈，所以是豎立式，非平置式。豎立式的通澈，即由心體的直貫而呈現萬物之眞自己（性）。所以心對天地萬物說，它是一個創生原則。就此而言，心體和物自身的關係明顯可見爲直貫和切實的關係，而非橫置虛繫的關係。

心的智的直覺的大用，使心體和物自身形成創生的直貫關係，從表面上看，似乎是深奥難知。但如把心體的創造聯繫到平常日用之事，則亦簡易而不難曉。

道充乎身，塞乎天地，而拘於軀者不見其大；存乎飲食男女之事，而溺於流者不知其精。諸子百家億之以意，飾之以辨，傳聞襲見，蒙心之言。命之理，性之道，置諸茫昧則已矣。悲夫！此邪說暴行所以盛行，而不爲其所惑者鮮矣。然則奈何？曰：在修吾身。⑧²

夫婦之道，人醜之者，以淫慾爲事也；聖人安之者，以保合爲義也。接而知有禮焉，交而知有道焉，惟敬者爲能守而勿失也。語曰：樂而不淫，則得性命之正矣。謂之淫慾者，非陋庸人而何？⑧³

天得地而後有萬物，夫得婦而後有男女，君得臣而後有萬化。此一之道也，所以爲至也。⑧⁴

上文說胡宏以心著性，如分解言之，性是客觀地說，心則是主觀地說。如綜合言之，心性可統於「道」。此道是心性所生發的道德律令、道德法則、道德性的實理而綜合言之的天道。胡宏扣緊道德實踐而講此天道。道德實踐從個人身邊的事開始。身邊的事本是自然而實然的，即是無色的。但如把它和道德實踐聯繫起來，則當然之理（道）便對它加以導約、成全和貞定。像日常的飲食男女這種實然之事，如用當然之理（道）加以導約、成全，即所謂「接而知有禮，交而知有道」，便足以「守而弗失」，「得性命之正」。這是儒家講道德創造的切實意義。

道固足以成全和貞定實然之事，同時道也在它本身所導約、成全而貞定的事處得以彰顯。這種由道德實踐所彰顯的道是直截的人本或人文之道。這可說是「即事以明道」。自形式上說，胡宏所說的「即事以明道」和華嚴宗所講的相似。㉟但華嚴宗所講的道（理）是佛家的空理。就算把空理講成眞心之體，這眞心之體幷未嘗貫以道德義而成爲道德創造的眞實體。凡從宇宙論講性命與天道相貫通的儒者，大體上都以人文、人本之道爲立場，以道德實踐爲中心。㊱所謂人本，並非以現實的人爲本，而是以現實的人事爲道德實踐的起點和終點。它的根本在於具有道德實體意義的「道」。可見具有道德實體義的「道」離不開現實的人事，並就現實人事作道德實踐以表現它本身。道固然不離個人就日常之事而作的道德實踐，但它也無所不在。所以說「充乎身，塞乎天地」。這便是宋儒承傳自先秦儒者而發展完成的道德理想主義。在其中，即函具道德的形上學。這顯示個人的道德實踐的道德秩序（道德行爲所表現的理則）和天道創造的宇宙秩序完全同一。這是「內容的意義」的同一。自周敦頤以降，此義日趨完備，胡宏加以彰顯，使這一義理更爲顯豁。

四

由以上的論述，可知儒、道、佛都肯定物自身，而且在不同的程度上由主體所生發的智的直覺去加以體認：道佛二家由於未以道德意識貫注於智的直覺所根源的主體，以致主體與物自身只構成一虛繫的關係。儒家則以道德意識貫注於主體（心體），故心體與物自身形成直貫與切實的關係。

儒家此一型態由先秦孔孟發其端，中經魏晉南北朝隋唐對道、佛的融攝，發展至南宋的胡宏便已充分完成。胡宏講以心著性，闡明道德本心的「智的直覺」所呈現的主宰作用，在於它對萬物的貫澈。這實足以强化和深化道、佛所講本體與物自身的關係，同時也賦予物自身以道德的意義。不但如此，胡宏將心體的道德創造聯繫於客觀的形而上天道與日用之事爲說，使先秦以來儒家的道德形上學充分證成。這對後世產生怎樣的影響？特別是中國哲學與西方的道德哲學接觸後，將產生怎樣的作用？

胡宏講當然之理對日常實然之事的導約、成全，具體地說，天理所直接決定的「應當」，因道德本心的悅理義、發理義而成爲「實然」。由應當之「當然」以至現實的「實然」，這本是直貫的。但在西方，就算最了解道德精義的康德却認爲兩者並不是直貫的關係。

康德以爲眞正純正的道德行爲不能受制於感覺或主觀的脾性、性好、性向。爲了保證道德行爲的純正，必須先驗地建立道德法則的普遍妥當性。具體地說，必須肯定人的意志是自由的，即它自主自律，不受外界牽制，而自願完全從道義上爲此法則所決定。這是它接受決定的自由，同時它所甘願完全從道義上以接受它決定的法則並不是外鑠的。這便是它自己立法的自由。這從理論上爲道德法則的「存在根據」而構思的「自由」，只是一個爲成全道德法則的緣故而必須預定的設準。至於這必須預定的設準本身如何可能？康德以爲這同於「純粹理性如何能是實踐的」一問題，並認爲這問題不是人類理性所能解答。[87]康德雖說過「道德法則是自由底認知之根據」[88]，但他所謂「認知」，其實是虛說。它至多說明：依據道德法則，人能意識到自由這概念、能意識自由的預定；並非說人對自由本身之客觀而存在上的必然性眞有積極的知識或理解。所以康德以爲意志自由所表示的睿智界只顯示意志的自由與自律性。但它既不能「因直覺或感覺而進入」，故它「只是一消極思想」。[89]這樣說來，意志自由本身便只是一個理想概念，它完全和人的理性隔絕而不可理解，這便是康德所說的物自身。

康德在他的批判哲學體系中，以「超越的區分」把現象和物自身加以區別。他認爲現象可由人的理性（感觸的直覺）去認識，物自身則須由智的直覺以證知。[90]但非感性的直覺即智的直覺，依康德的說法，它只能屬於上帝（元有），而不能屬於人類。[91]康德又說上帝只創造物自身，而不創造現象。依上所論，意志自由本身的絕對必然性（物自身）既不可爲人所知，則意志自由只是道德法則的形式條件而無具體的內容。由此我們面臨一嚴重的問題，即：人如果當作一被造的獨立自體物或實體物看時，他在上帝面前也是一物自身，那麼，那只能透過上帝「智的直覺」才能證知的自由本身（物自身）對作爲物自身的人究竟有甚麼意義呢？康德對此問題作如下的回答：

如果時間中的存在只是那屬於「世界中的思維存有」的那表象之一純然的感觸模式，因而結果也就是說，它並不能應用於這些思維存有之爲物自身，如是，則對於這些存有之創造就是對於物自身之創造，因爲創造之觀念並不屬於存在底表象之感觸形式。或者說，並不屬於因果關係，但只能涉及「智思物」。因此，結果，當我對於感取世界中的存有而說它們是被造的時候，我即把它們看成是「智思物」。因此，因爲說上帝是現象底一個創造者，這必是一矛盾，所以去說：作爲一創造者，祂是感取世界中的活動（因此也就是當作現象看的活動）底原因，然而祂同時又是這些活動著的存有（即智思物）底存在之原因，這也是一矛盾。現在，如果（因着視時間中的存在爲某種「只屬於現象而不屬於物自身」的東西，儘管實有當作現象看的活動之自然的機械性，而去肯定自由仍是可能的（如果去肯定自由而無損於當作現象看的活動之自然的機械性，這是可能的——拜克譯）），則「活動的存有是被造物」這情形不能有絲毫影響（影響於論據），因爲創造只有關於活動的存有之超越感觸的存在，而無關於其感觸的存在，因此，創造也不能被看成是現象底決定原則。可是，如果世界中的存有（萬有）當作物自身而存在於時間中，則情形就完全不同（即：「活動的存有是被造物」這一義便大有影響於論據），因爲在這種情形中，實體物底創造者必同時也就是這實體物底全部機械聯繫底創造者。㊾

康德認爲上帝只創造物自身，而不創造現象。人是上帝所造，他自爲一物自身。所以康德以爲人雖是一被造物，但並無影響於自由。但這也只是「無影響」或「無損」而已，却不能積極地表示人是自由的。具體地說，依康德義理而說人是物自身，只表示人不是在時間中而爲條件系列所決定的機械聯繫的存在，即只表示人在形式上不是不自由的，不是機械的，但不能進而積極地在內容方面表示人是自由的。這其中的關鍵是人在主體上不能有智的直覺。

如上所論述，中國的儒、道、佛都肯認人由主體所生發的智的直覺去體認物自身，尤其是宋儒的道德形上學對智的直覺的體會更臻於圓熟。在宋儒道德形上學的體系中，凡物在心體所發的智的直覺前都是物自身。但這並不表示草木瓦石等都是自由的。自由只屬於人所有。因爲只有人才能透過主體而呈現智的直覺。萬物雖和人同具天理的創造性，但依程顥說「人則能推」，所以只有人才能盡心、盡性以實現他的創造性，從而具體彰顯他的自由。不但如此，胡宏講以心著性，則人更能因心體的主宰大用，以呈現萬物之眞自己（物自身）。人因此可說是萬物之靈。⑬總之，人透過主體的無限創造作用發爲智的直覺，因而成爲一物自身的存在。人也因此具有無限性與永恆性的意義。這是宋儒的共識。在這一共識中，人雖有限而可無限。人的「有限」是就人作爲感觸的存在（即爲一現象）說。但當人在道德主體中呈現智的直覺而成爲物自身的存在時，便不能說有限。「人雖有限而可無限」一語具有重大的道德和宗教意義。它把康德從超越上所區分的現象與物自身統一起來，也就是把現象界和本體界聯繫起來。這是康德的道德神學所未能完成的工作。因爲康德的道德神學只從上帝創造物自身來透露自由，不知自由意志活動就是一種心能，也就是人的道德本心的智的直覺。依宋儒道德形上學講性與天道相貫通的義理，此道德本心同時顯示人的道德秩序和天道的宇宙秩序，於是在道德的形上學的體系下，人的道德創造不但有超越的必然根據，而且還能在現實中眞實地呈現。所以人作爲物自身而呈現意志自由，是理所當然，也是勢所必至；並不是康德所說爲成全道德法則的緣故而必須預定的設準。自由既在道德實踐中眞實呈現，則不是理性的理解問題。因此，康德說「自由本身的存在爲人類理性所不能解答」，即無意義可言。作爲中國道德哲學主流的宋儒的道德形上學，一旦和西方最善於講論道德哲學的康德相接，它的意義和作用豈不即刻顯示出來！現代學者牟宗三畢生浸淫於中國哲學和康德哲學，並從事兩者的會通。他便深睿地指出宋儒的道德形上學足以補充康德的不足。㉞

五

由以上的論述，可見宋代儒學一方面繼承先秦儒學的傳統，一方面則融攝道家和中國佛學所講的境界型態的本體論，而鎔鑄成一具有中國特色的道德形上學。這一道德形上學融合道德、形上學和宗教爲一體，它不但發揚儒、道的傳統，而且足以補充後來康德講道德神學的不足，爲中國哲學與西方哲學交流作出貢獻。宋儒的道德形上學在中國哲學史上的地位即可由此而確定。

【附註】

① 《論語・爲政》：「子曰：吾十有五而志于學，三十而立，四十而不惑，五十而知天命」。見朱熹《四書章句集注》（北京：中華書局，一九八三）頁五四。以下引《論語》，除非特別註明者外，皆以此本爲據。

② 《周易・繫辭傳・上》：「樂天知命，故不憂」。見《周易正義》（北京：中華書局《十三經注疏》本

，一九五七），頁三六七。

③《論語・子罕》：「仁者不憂」。見《四書章句集注》，頁一一六。邢昺疏解此語，說：「仁者知命，故無憂患」，見《論語注疏》（北京：中華書局《十三經注疏》本，一九五七），頁一三五。

④《孟子・盡心・上》：「盡其心者，知其性也；知其性，則知天矣」。見《四書章句集注》，頁三四九，以下引《孟子》，除非特別注明者外，皆以此本爲據。

⑤同上，頁三五〇。

⑥物之在其自己，即康德（Kant, 1724-1804）所謂物自身（Thing in itself）或智思物（Noumena）。關於物自身的意義，見Norman Kemp Smith (tr.), *Critique of Pure Reason*（London: Macmillan, 1929），P.87; Erich Adickes(ed.), *Kants Opus Postumum, Dargestellt Und Beurteilt* (Berlin : Reuther & Reichard, 1920), P.653。

⑦《語・顏淵》，頁一三九。

⑧《孟子・盡心・上》：「孟子曰：人之所不學而能者，其良能也；所不慮而知者，其良知也」。見《四書章句集注》，頁三五三。

⑨見下。

⑩康德對「智的直覺」的意義和作用的說明，見Norman Kemp Smith (tr.), *Critique of Pure Reason* ,PP. 87-88。

⑪《中庸·第一章》：「天命之謂性」。見《四書章句集注》，頁一七。《易·乾·彖》：「乾道變化，各正性命」。見《周易正義》，頁三三。《易·乾·文言》：「大人者與天地合其德」。同上書，頁四九。

⑫牟宗三《心體與性體》第二冊（台北：正中書局，一九六八），頁五〇五～五〇七。

⑬《論語·公冶長》，頁七九。

⑭司馬談謂：「儒者以六藝爲法」。見《史記·太史公自序》（北京：商務印書館縮印百衲本，一九五八），頁一一九一。

⑮《道德經·十六章》：「致虛極，守靜篤。萬物並作，吾以觀復。夫物芸芸，各復歸其根。歸根曰靜，是謂復命。復命曰常，知常曰明；不知常，妄作，凶。知常，容；容乃公，公乃王，王乃天，天乃道，道乃久，沒身不殆」。見《老子道德經·上篇》（台北：新興書局影印華亭張氏本，一九六三），頁一八～一九。

⑯牟宗三《心體與性體》第一冊（台北：正中書局，一九六八），頁四六一～四六四。

⑰何劭《王弼傳》：「裴徽問（王）弼曰：夫無者，誠萬物之所資也。然聖人莫肯致言，而老子申之無已者何？弼曰：聖人體無。無又不可以訓，故不說也。老子是有者也，故恆言無所不足」。見《三國志·魏書·鍾會傳·裴松之注》（北京：商務印書館縮印百衲本，一九五八），頁四五〇〇。

⑱《論語·陽貨》：「子曰：予欲無言。子貢曰：子如不言，則小子何述焉？子曰：天何言哉？四時行焉

，百物生焉，天何言哉？」見《四書章句集注》，頁一八〇。

⑲ 向秀、郭象注《莊子》，盛言「迹本」，即盛發此論。見《莊子注疏》（《古逸叢書》覆宋本），卷四，頁一七、二一。

⑳ 牟宗三《才性與玄理》（九龍：人生出版社，一九六三），頁一一九～一二三。

㉑ 龍樹《中論》卷四：「有亦無，無亦無，有無亦無，非有非無亦無。是名諸法實相，亦名如法性實際涅槃」。（見大正新修《大藏經》第三〇卷，頁三六）衆生由於迷妄，以致認識錯誤，所以得不著諸法實相。但實相（物自身）自存，所以視爲寂然。這也意味實相可由後天修行而認識。

㉒ 《大般若波羅蜜多經》卷三，初分學觀品第二之一：「欲於一切法等覺一切相，當學般若波羅蜜多」。見《中華大藏經》（漢文部分）第一冊（北京：中華書局，一九八四），頁一～二一。

㉓ 牟宗三《現象與物自身》（台北：學生書局，一九七五）頁四〇四。

㉔ 玄奘《成唯識論》卷八，見《大藏經》卷三一，頁四六。

㉕ 《成唯識論》卷九，同上書，卷三一，頁五〇～五一。

㉖ 《成唯識論》卷二，同上書，卷三一，頁七～一〇。

㉗ 大正新修《大藏經》第三二卷，頁一一三～一三二。

㉘ 以眞心爲佛性，佛祖雖有此義理，但引而未發。佛學這一義理在印度與婆羅門教合化。

㉙ 《淮南子・原道訓》以爲萬物從道出。道生陰陽。陰陽消長生萬物。見《二十二子》（上海：古籍出版

社縮印浙江書局彙刻本，一九八六），頁一二〇五～一二一〇。

㉚《牟子理惑》，見《弘明集》卷第一，在大正新修《大正藏》第五二卷，頁二。

㉛《道行般若經》卷五第十四品：「諸法無所從生，爲隨怛薩阿竭教。隨怛薩阿竭教是爲本無。本無亦無所從來，亦無所從去」。見大正新修《大藏經》第八卷，頁四五三。

㉜後來把「本無」改譯成「眞如」，更滋誤解。按《般若經》所說「如性」，吾人如知其爲物自身，而以「本無」譯之，並不錯誤。但不可與性宗所講佛性的「眞如」相混。參考呂澂《中國佛學源流略講》（北京：中華書局，一九八三），頁三～四；湯用彤《理學佛學玄學》（北京：北京大學出版社，一九九一，頁二二四。

㉝慧琳《道生法師誄》：「象者，理之所假，執象則迷理；教者，化之所因，束教則愚化」。見《廣弘明集》卷二三，在大正新修《大藏經》卷五二，頁二六五。

㉞《辨宗論——諸道人王衞軍問答》。見《廣弘明集》卷一八，在大正新修《大藏經》卷五二，頁二二四～二二五。

㉟湯用彤《謝靈運〈辨宗論〉書後》，見《湯用彤學術論文集》（北京：中華書局，一九八三），頁二八八～二九四。

㊱道生《妙法蓮華經疏・寶塔品》：「一切衆生莫不是佛，亦皆泥洹」。見《日本續藏經》第一輯第二編乙第二三套第四冊。

㊲《孟子．滕文公．上》：「顏淵曰：舜何人也？予何人也？有爲者亦若是」。見《四書章句集注》，頁二五一。

㊳關於《大乘起信論》的考證，可參考：舟橋一哉《俱舍哲學》（一九〇六），望月信亨《起信論之研究》（一九二二），松本文三郎《關於起信論之中國撰述說》，見《宗教研究雜誌》新三卷四號，望月信亨《讀松本博士之起信論中國撰述說批評》，見《宗教研究雜誌》新三卷五號，林屋友次郎《就起信論的成立問題—特別關於望月博士的起信中國撰述論》，見《宗教研究雜誌》新三卷六號，鈴木宗忠《就起信論的成立有關的史料》，見《宗教研究雜誌》新五卷十二號，日暮京雄《論起信論中佛三身中的原語》，見《宗教研究》新六卷三號，呂澂《大乘起信論考證》，見《中國哲學史論》（太原：山西人民出版社，一九八一），頁二七八～三二〇。

㊴大正新修《大藏經》第三十二卷，頁五七九。

㊵法藏賢首《華嚴一乘教義分齊章．義理分齊第十．三性同異門》，見大正新修《大藏經》卷四五，頁四九九。

㊶荊溪《法華文句記》卷一下，見大正新修《大藏經》卷三四，頁一七一。

㊷智者《觀音玄義》卷上，見大正新修《大藏經》第三四卷，頁八八二～八八三。

㊸牟宗三《心體與性體》第一冊，頁六四五。

㊹「從無住本立一切法」，語出鳩摩羅什譯《維摩詰所說經》，卷中，見大正新修《大藏經》第十四卷，

頁五四七。智者對此一義理的說明，見《妙法蓮華玄義》卷第七上，在大正新修《大藏經》第三十三卷，頁七六四。

㊺ 智者《摩訶止觀》卷第五上：「無明法法性，一心一切心，如彼昏眠」。見大正新修《大藏經》卷四六，頁五五。

㊻ 智者《摩訶止觀》卷第五上：「達無明即法性，一切心一心，如彼醒寤」。見大正新修《大藏經》卷四六，頁五五。參考牟宗三《佛性與般若》下冊（台北：學生書局，一九七七），頁一〇八七～一〇九一。

㊼ 按：此物自身不具道德的意義。

㊽ 佛、道二家只從負面講道德。參考：牟宗三《智的直覺與中國哲學》（台北：商務印書館，一九七一），頁三四六。

㊾ 朱熹的系統較特殊而且複雜，本文未能兼及。

㊿ 《誠上第一》，見《周子通書》（《四部備要》本），頁一。

51 《中庸二六章》：「其為物不貳，則其生物不測」。見《四書章句集注》，頁三四。

52 《中庸二五章》：「誠者，物之終始」。見《四書章句集注》，頁三四。

53 《中庸二五章》：「不誠無物」。見《四書章句集注》，頁三四。

54 牟宗三《心體與性體》第一冊，頁三二四～三二五。

55 《道第六》，見《周子通書》，頁一。

(56)《河南程氏遺書卷二五・伊川先生語十一》：「人皆可以至聖人，而君子之學必至於聖人而後已。不至於聖人而後已者，皆自棄也」。見《二程集》（北京：中華書局，一九八一），頁三一八。

(57)《太極圖說》，見《周濂溪先生全集》（《正誼堂全書》本，卷一，頁二。

(58) Siu-Chi Huang, The Concept of Tai-Chi (Supreme Ultimate) in Sung Neo-Confucian Philosophy, in *Journal of Chinese Philosophy* I (1974), P.284。

(59) 近人朱鏡宙說周敦頤所講太極與無極和圭峰宗密《禪源諸詮集部序、卷下》所附之賴耶、眞如圖相似，因此斷定周氏不免於彼有所取法。見所著《五乘佛法與中國文化》，頁一七九～一八〇。按周敦頤縱取法眞如而講無極，也不過是形式的相似，彼此的實質究不相同。因佛法所講眞如並非眞能起創造作用的實體。

(60)《正蒙、天道篇、第三》，見《張載集》（北京：中華書局，一九七八），頁一三。

(61)《中庸一六章》，見《四書章句集注》，頁二五。

(62)《正蒙・大心篇・第七》，見《張載集》，頁二五。

(63)《周易正義》卷七，頁三七三。

(64)《正蒙・大心篇・第七》，見《張載集》，頁二五。

(65) 同上。

(66) 同上，頁二四。

⑥⑦ Norman Kemp Smith (tr.) *Critique of Pure Reason* PP.89-90

⑥⑧ 《河南程氏遺書》卷第二上，見《二程集》，頁一五。按此條原未注明誰語，但《宋元學案・明道學案》列有此條（《四部備要》本，卷一三，頁二〇五～二〇六），當從。

⑥⑨ 《河南程氏遺書》卷第二上，見《二程集》，頁三一。按：原未註明誰語。牟宗三以爲明道語。見《心體與性體》第二冊，頁五四～五五。

⑦⓪ 《孟子・盡心上》，見《四書章句集注》，頁三五五。

⑦① 《河南程氏遺書》卷第二上，見《二程集》，頁三三～三四。按：原亦未註明誰語。牟宗三以爲明道語。見《心體與性體》第二冊，頁五五。

⑦② 華嚴宗所講四法界中，有所謂理法界。理法界即眞空之理，也就是一切法的本源。參考：澄觀《華嚴法界玄鏡》卷上，見大正新修《大藏經》卷四五，頁六七二。

⑦③ 康德之說，詳見下文。

⑦④ 《河南程氏遺書》卷第二上，見《二程集》，頁二〇。

⑦⑤ 詳見下文。

⑦⑥ 《河南程氏遺書》卷二一下，見《二程集》，頁二七四。

⑦⑦ 牟宗三《心體與性體》第三冊（台北：正中書局，一九六九），頁五六。

⑦⑧ 《知言》，見《胡宏集》（北京：中華書局，一九八七），頁二八。

(79) 同上。

(80) 《知言》，朱熹《胡子知言疑義》引，見《胡宏集》，頁三三六。

(81) 同上，頁三二八。

(82) 《知言》，見《胡宏集》，頁三。

(83) 同上，頁七。

(84) 同上，頁八。

(85) 法藏《華嚴妄盡還源觀》：「如此華藏世界海中，無問若山若河乃至樹林、塵、毛等處，一一無不皆是稱眞如法界，具無邊德。依此義故，當知一塵即理即事」。見大正新修《大藏經》卷四五，頁六三七～六三八。

(86) 顧炎武深諳此義，說：「夫子之教人：文、行、忠、信，而性與天道在其中矣，故曰不可得而聞」。見《日知錄》卷七，在《日知錄集釋》（石家莊：花山文藝出版社，一九九〇），頁三〇八。

(87) Thomas K. Abbott (tr.), *Fundamental Principles of The Metaphysic of Morals* (New York : Liberal Arts Press, 1956), PP.72-80; H. J. Paton (tr.), *Groundwork of the Metaphysic of Morals* (New York, Hagerstown, San Francisco, London : Harper Torchbooks / The Academy Library Harper & Row, 1964-), PP.123-131.

(88) Lewis White Beck (tr.) *Critique of Practical Reason* (New York : Liberal Arts Press, 1956), Preface,

P.4.

(89) 同⑻⑺。

(90) Norman Kemp Smith (tr.), *Critique of Pure Reason*, PP.87-88.

(91) 同上，PP.89-90。

(92) 牟宗三譯註《康德的道德哲學・實踐理性底批判》（台北：學生書局，一九八三），頁三二二～三二三。參考：Lewis White Beck (tr.) *Critique of Practical Reason*, P.106.

(93) 若單從物自身的存在說，物自身可說是萬物的本來面目，即佛家所說空如實相。就人而言，這也是人的本來面目。但這只是人的本來面目的形式意義。它的眞實意義在於道德本心由智的直覺所呈現的自由（在儒、道、佛三家中，只有儒家能彰顯人的本來面目的眞實意義）。就物方面說，如草木瓦石等，則只能就它們的物自身的存在而說形式意義的本來面目，不能說眞實意義的本來面目，因爲它們沒有主體的智的直覺以呈現自由。當然，萬物作爲物自身，也不能說它們不自由（物自身對自由是中立的，既無損於自由，也無助於自由）。它們只在人的道德本心由智的直覺所呈現的自由中，成爲自在的、自爾獨化的。它們依人的眞實意義的本來面目的圓頓而呈現，即依人的本心的「自由」而獲得本來面目。它們本身固不能呈現自由而自證本來面目。天台宗荆溪湛然說：「無情有性」。（見《金剛錍》，在大正新修《大藏經》卷四六，頁七八二）。但無情的草木瓦石等固不自具「緣因佛性」和「了因佛性」。雖然人的緣、了佛性可以遍及草木瓦石等，但不能由於此一遍及，便說它們本身也具緣、了佛性而能自成大覺。

94 《智的直覺與中國哲學》，處處；《現象與物自身》，處處；《康德的道德哲學》（譯註），處處；《康德純粹理性之批判譯註》（台北：學生書局，一九八三），處處；《心體與性體》第一冊，頁一三八～一八九；《中西哲學之會通十四講》（台北：學生書局，一九九〇），處處。

《國際宋代文化研討會論文集》一九九一年十月